英国初级百科全书

太　空

作者　保罗·达伍斯威尔

译者　张　德　玉

前　言

　　提高科学素质，了解发达国家中小学生的学习内容，使所学的东西与国际接轨，以便将来更好地适应社会，提高竞争能力，便是引进这套书的初衷。

　　这套书共有 4 册：《英国初级百科全书——太空、海洋》、《英国初级百科全书——动物、科学》、《英国中级百科全书——动物、植物》、《英国中级百科全书——科学》。初级百科全书适应于小学生学习，中级百科全书内容丰富多彩，更适应于中学生学习。这是套极其理想的启蒙图书，也是帮助中小学生完成学校功课的极佳参考书。

　　这套书通俗易懂，图文并茂。精美的插图、简练的文字描绘了太空、海洋、动物、科学的方方面面，如太空站、黑洞、鲨鱼、海流等；另有大量生动的图片展现了恒星的诞生、星系的碰撞，许多令人眩目的行星的特写以及海洋的奥秘。这套书能够激发不同年龄段的中小学生探索太空、海洋、动物、科学奥秘的兴趣，为他们的人生打下很好的科学基础。

　　借助相关精选网站和书后面的词汇索引，中小学生可以了解更多的相关知识，并提高英语学习水平。

总　目　录

目 录

神奇的太空

太空中充满了无限神奇的景观。我们可以用肉眼或借助于天文望远镜和双筒望远镜看见其中一部分，其余的只能借助于特殊设备才能观测到。以下是本书中你可以发现的许多有趣的内容。

宇宙飞船

过去40年中，火箭不断地飞入太空，已经成功将人类送达遥远的月球，无人驾驶宇宙飞船也已访问过更遥远的行星，如天王星和海王星等。

这颗美国制造的火箭上载着3人飞往月球。

宇航员

在太空中旅行的人我们称之为宇航员。在开始太空之旅之前，他们必须接受多年的严格训练。

这位身着太空服的宇航员正在太空中"行走"。

恒星

恒星是一个充满燃烧气体的球状体，太阳就是一颗恒星。

下面你可看到由层层尘埃形成的新的恒星。

行星之一 —— 海王星

卫星

多数行星都有卫星。这些是围绕其他行星运行的小行星。

这是艾奥（木卫一）。

行星

行星是一个由岩石和气体构成的、围绕恒星运行的巨大的球状体。围绕太阳运行的行星群即为人们所知的太阳系。

行星之一 —— 土星

彗星

彗星是由不洁的冰构成的、在宇宙中运转的球状体。有时，它们与行星发生碰撞。

这就是一颗彗星。★

星系

星系是一组庞大的星群。我们的太阳和太阳系就处在一个称之为银河系的星系中。科学家们认为太空中有亿万个星系存在。

这个星系叫做桑布雷洛(Sombrero) 星系，它有数百万颗恒星。

运动变幻的太空

宇宙中的每一个物体，小到卫星大到整个太阳系和银河系都在运动，即使是你现在坐在这里一动不动地读这本书，你仍然会以每秒钟1000千米（600英里）的速度在穿越太空。

旋转的球体

所有的行星和卫星都在自转。地球自转的速度大约是每小时1600千米（1000英里）。地球自转一周需要24小时，我们用24小时来衡量一天的长度。

这组关于星球的照片跨越了很多小时，太阳在天空中的位置发生了变化，因为地球在自转。

黑夜与白昼

随着地球的转动，面向太阳的部分被照亮，背向太阳的部分却处在黑暗之中，这就是为什么我们会有白天和黑夜之分的原因。

早上 7∶00 北美洲尚处在黑暗之中。

1

太阳已在欧洲上空升起。

北美洲正是早上太阳冉冉升起时。

2

正午 12∶00 欧洲太阳高高挂在天空。

地球围绕太阳运转时本身也在自转。它围绕太阳运行一周需要 365 天（一年）。

3

而在北美洲太阳正高高挂在天空。

晚上7∶00在欧洲太阳已经落山了。

大圆圈

行星和卫星在自转的同时，也在沿着一个巨大的叫做轨道的圆形路线运动着。这种运动慢得让人难以察觉，就像我们注意不到手表上的时针在运动一样。

右图的黄线和箭头显示了行星和卫星绕轨道运行的路线。

行星绕恒星轨道运行。

卫星绕行星轨道运行。

万有引力

行星之所以不飞向太空，而是停留在恒星轨道上是因为万有引力的作用。

宇宙中所有的物质都被万有引力维系在一起，它将一个物体拉向另一个物体。

地球公转轨道

地球因万有引力的影响而停留在环绕太阳的轨道上。

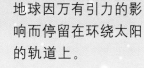

太阳的万有引力把地球拉向自己，阻止它飞向太空。

太阳的引力

如果太阳系中的行星和卫星不运行的话，它们都有可能撞向太阳。

太阳

各式望远镜

望远镜可以将物体放大。自从400年前望远镜发明以来，天文学家们就一直在使用它们探索宇宙。

望远镜的工作原理

望远镜通过一片弯曲的玻璃即透镜来将物体放大。第一个使用望远镜的天文学家是一个叫伽利略的意大利人。他使用的望远镜可以将恒星和行星放大三倍。

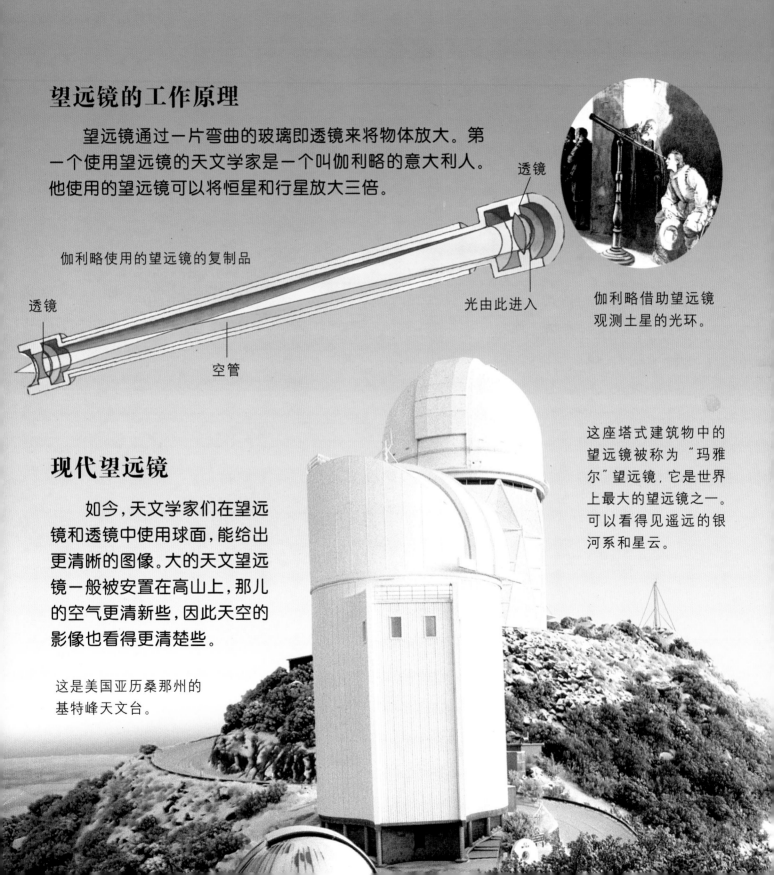

透镜

伽利略使用的望远镜的复制品

透镜

光由此进入

空管

伽利略借助望远镜观测土星的光环。

现代望远镜

如今，天文学家们在望远镜和透镜中使用球面，能给出更清晰的图像。大的天文望远镜一般被安置在高山上，那儿的空气更清新些，因此天空的影像也看得更清楚些。

这是美国亚历桑那州的基特峰天文台。

这座塔式建筑物中的望远镜被称为"玛雅尔"望远镜，它是世界上最大的望远镜之一。可以看得见遥远的银河系和星云。

太空望远镜

一个叫做哈勃太空望远镜的大型望远镜绕着地球运行着。它位于地球大气层的污染物和烟雾之外，所以可以拍出十分清晰的太空照片。

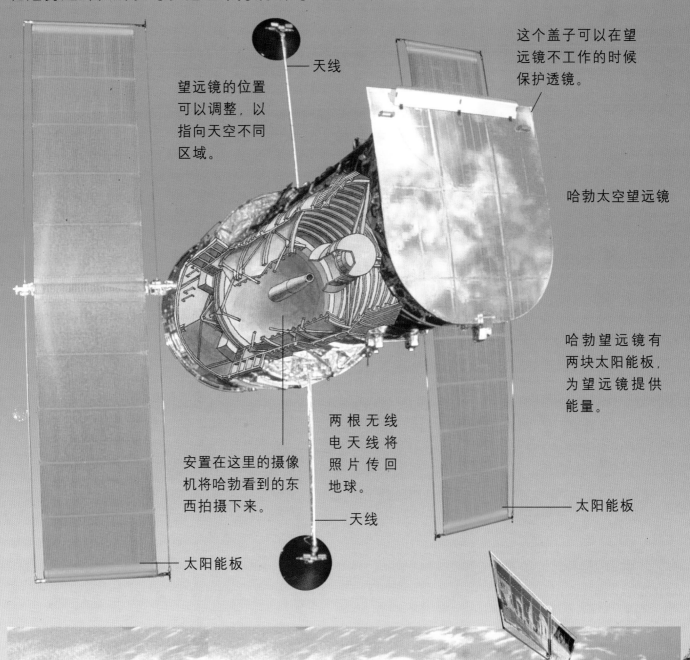

—— 天线

望远镜的位置可以调整，以指向天空不同区域。

这个盖子可以在望远镜不工作的时候保护透镜。

哈勃太空望远镜

哈勃望远镜有两块太阳能板，为望远镜提供能量。

安置在这里的摄像机将哈勃看到的东西拍摄下来。

两根无线电天线将照片传回地球。

—— 天线

—— 太阳能板

—— 太阳能板

太空维修

哈勃望远镜在1990年被送入太空的时候，无法正常工作。3年后，一些宇航员乘太空梭前往太空对其进行维修。现在，该望远镜已经能够传送回十分清晰的图片了。

哈勃望远镜

宇航员

太空梭 ——

*关于地球大气层的更多内容，请参见本书第29页。

射电望远镜

　　太空中有数以万计的暗淡、遥远的物质存在着，用普通望远镜是看不到它们的。而射电望远镜能够观测到它们，这是因为它不必借助光来"看"。

星星的信号

　　所有星际物质都发送表明自己位置的信号。这种信号可能是光或者是声音，也可能是另外一种被称之为无线电波的信号。射电望远镜捕捉的就是这种信号。

这是一个叫做半人马星座 A 的星系。像其他星系一样，半人马星座 A 星系也不断发送可以穿透宇宙的无线电波。

射电望远镜捕捉到这些无线电波后，将其传送到电脑，绘制成图像。

这是半人马星座A无线电波的电脑绘制图像。

与光能望远镜不同，射电望远镜不但可以在夜间使用，白天也能正常工作。

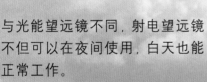

无线电波

　　恒星发出的无线电波与你在家里用收音机接收的信号是类似的。但是，如果你收听这些恒星发出的无线电波，听到的将是一种噼哩啪啦稍纵即逝的噪音，而不是声音或音乐。

巨型天线阵

　　这些是安置在美国新墨西哥州的射电望远镜。它们由27个抛物面天线组成一组巨型天线阵。每一个天线可以独立工作，也可以与其他26个天线结合使用，能覆盖太空大片区域。

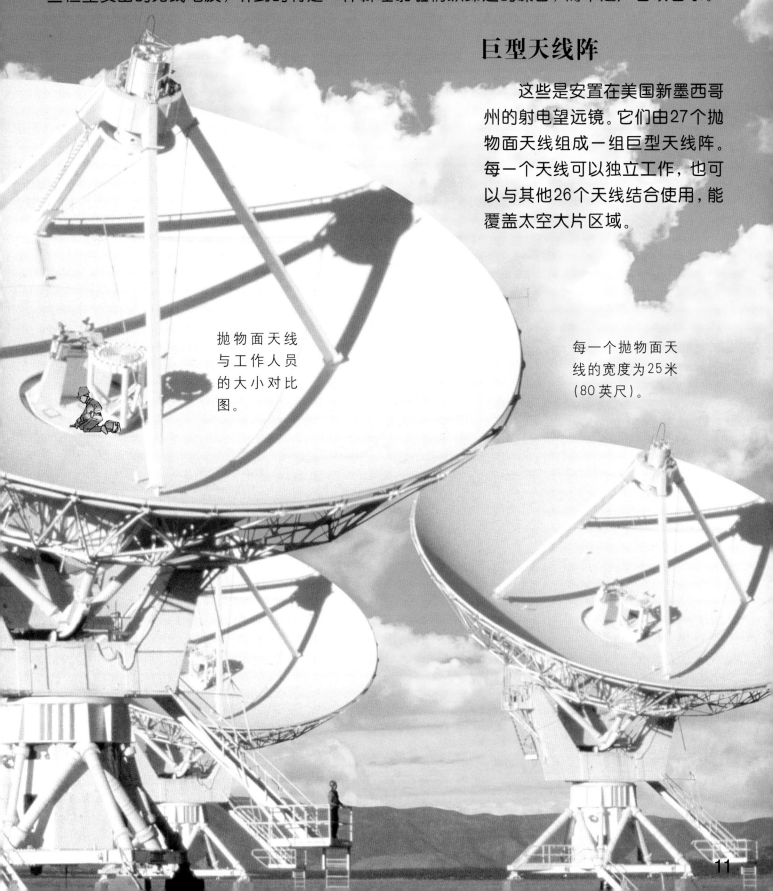

抛物面天线与工作人员的大小对比图。

每一个抛物面天线的宽度为25米（80英尺）。

11

太 空 之 旅

人类将首枚火箭送入太空只是1957年以后的事。在此之前，火箭在到达太空前就会坠落地面，这是因为它们没有足够大的力量来摆脱地球引力的影响。

航天飞机

1961年，第一批地球人成功登上太空。此后又有数百位宇航员成为他们的追随者，其中有男性，也有女性。如今，宇航员乘坐航天飞机飞向太空已是家常便饭。以下便是它的工作原理。

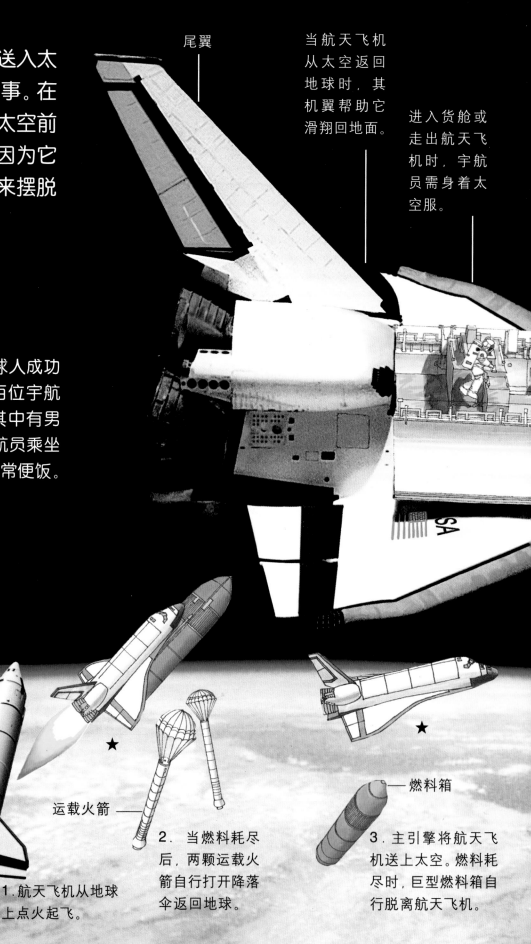

尾翼

当航天飞机从太空返回地球时，其机翼帮助它滑翔回地面。

进入货舱或走出航天飞机时，宇航员需身着太空服。

运载火箭

燃料箱

1.航天飞机从地球上点火起飞。

2.当燃料耗尽后，两颗运载火箭自行打开降落伞返回地球。

3.主引擎将航天飞机送上太空。燃料耗尽时，巨型燃料箱自行脱离航天飞机。

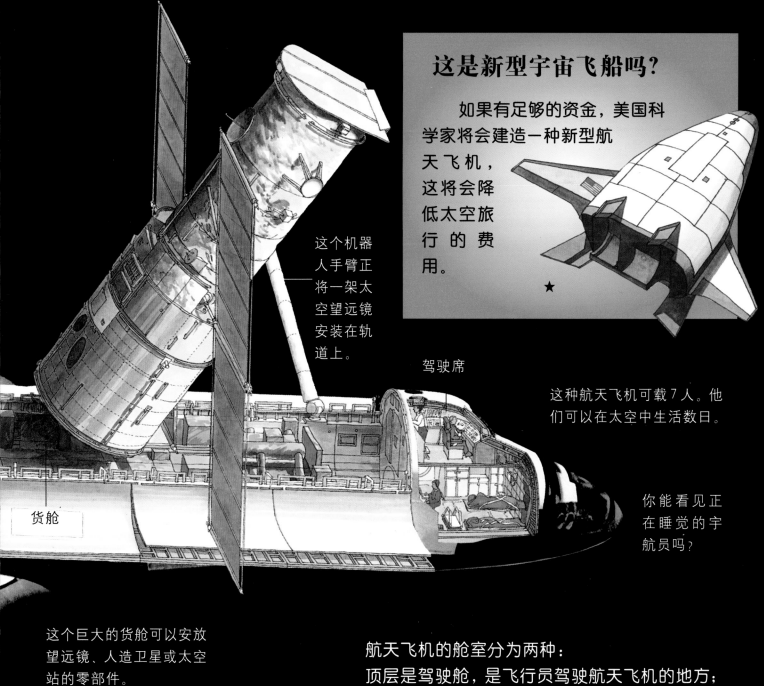

这是新型宇宙飞船吗?

如果有足够的资金, 美国科学家将会建造一种新型航天飞机, 这将会降低太空旅行的费用。

★

这个机器人手臂正将一架太空望远镜安装在轨道上。

驾驶席

这种航天飞机可载 7 人。他们可以在太空中生活数日。

货舱

你能看见正在睡觉的宇航员吗?

这个巨大的货舱可以安放望远镜、人造卫星或太空站的零部件。

航天飞机的舱室分为两种:
顶层是驾驶舱, 是飞行员驾驶航天飞机的地方;
底层是供其他机组人员做实验和休息的地方。

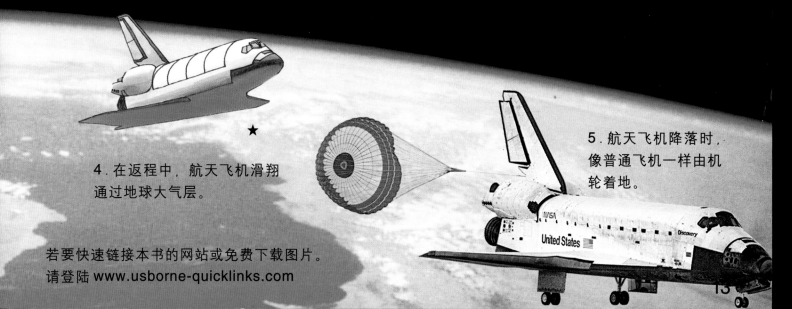

★

4.在返程中, 航天飞机滑翔通过地球大气层。

5.航天飞机降落时, 像普通飞机一样由机轮着地。

若要快速链接本书的网站或免费下载图片。
请登陆 www.usborne-quicklinks.com

13

宇航员训练

宇航员经数年训练之后方可进行太空飞行。

下面带你去美国得克萨斯州休斯敦宇航员培训学校看一看，看看那里的宇航员是如何接受飞行训练的。

我该按哪个按钮呢？

宇航员通过一个如下图所示的操纵盘驾驶航天飞机。操纵盘上有数百个按钮。宇航员通过一个飞行模拟装置来学习如何驾驶航天飞机。

这是飞行模拟装置的内部结构 ★ 布局，电视屏幕可以显示当时的真实情况。

四处飘浮

在太空中，所有的东西都是漂浮的，这叫做失重，是一种非常奇怪的感觉。宇航员通过水下训练来适应这种情况，因为这是在地球上所能做到的最接近于失重的一种状态了。

宇航员坐在这里。

飞行模拟装置

机舱转动如同一架真正的航天飞机。

一位宇航员在学习维修人造卫星。

宇航员们在一个7.6米（25英尺）深的大池中训练。

这个宇航员正在水下进行"太空行走"训练。

紧急逃生

宇航员必须学会在航天飞机起飞或者着陆的紧急关头如何离开机舱。右图中一名宇航员在航天飞机重返地球后正试图离开机舱。

机器手臂

这名宇航员正顺着一根绳子往下滑，离开航天飞机。

如果宇航员遇到麻烦，将会得到潜水员的帮助。

左图是航天飞机货舱的全真模型。宇航员在此学习如何使用机器手臂来控制卫星出入货舱。

乘坐"呕吐彗星"

宇航员可以通过乘坐一架垂直上升的喷气式飞机体验失重的感觉。飞行到最高处时他们会有30秒钟的失重感。有时人们会感到恶心，因此，这种飞机被戏称为"呕吐彗星"。

飞机必须垂直上升，然后再俯冲下来以使宇航员在里面体验失重的感觉。

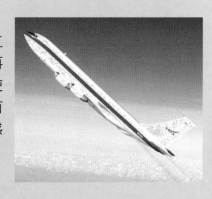

★

左图是在飞机中飘浮的宇航员。机舱中有很多填塞物，防止他们碰伤。

太空漫步

　　太空中是没有生命存在的，因为那里没有呼吸所需的空气。所以，在宇宙飞船外，宇航员必须穿上一套宇航服以维系生命。宇航服如同一艘身体般大小的宇宙飞船，带有供氧和供水设备。

一套宇航服有多层薄而坚固的分层。这些分层保护着宇航员不受机舱外小型流星体以及太空冷热的侵袭。

头盔上的摄像机摄下了宇航员的一举一动。

由于脸藏在头盔里，其他宇航员将通过这个条纹标记辨认出身着太空服者的身份。

头盔上的灯帮助宇航员在黑暗中辨别方向。

宇航员可以通过这个装置来控制宇航服里的设备。

宇航服非常灵便，因此便于宇航员运动。

步行去工作

　　宇航员通过太空行走去维修人造卫星、建立空间站或检查宇宙飞船的外部状况。你可以从这几页中了解到1997年两个美国宇航员走出宇宙飞船进行太空行走的情况。

16

生存设备

　　这里是宇航员在宇宙飞船外维持生命以及保持舒适所需的设备。有时太空行走会持续5个小时或更长时间。

头盔上闪亮的面罩可以抵挡眩目、刺眼的阳光。

这顶帽子上装有无线电麦克风和耳机。

饮料袋上有一根管子正好对准宇航员的嘴。

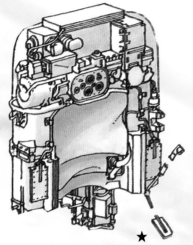

这是"基本生命维持系统"。它装有宇航员呼吸所需的空气。

这套衣服是宇航员贴身穿的。它装有宇航员可以自行调节冷热的水管，用来取暖或降温。

内有填塞物的手套装有橡胶手指，便于宇航员更容易摸到物体。

沸点与冰点

　　当宇航员在太空行走面对太阳时，阳光的温度比沸水还高。但当宇宙飞船在地球阴面运行时，温度又降到了冰点以下。

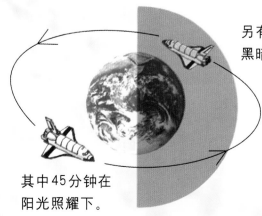

宇宙飞船绕地球运行一周需要90分钟。

另有45分钟在黑暗中。

其中45分钟在阳光照耀下。

若要快速链接本书的网站或免费下载图片。
请登陆 www.usborne-quicklinks.com

太空生活

空间站是宇航员在太空中观测地球以及做实验的场所。宇航员可以在里面住上好几个月。第一座空间站是在30多年前建成的。

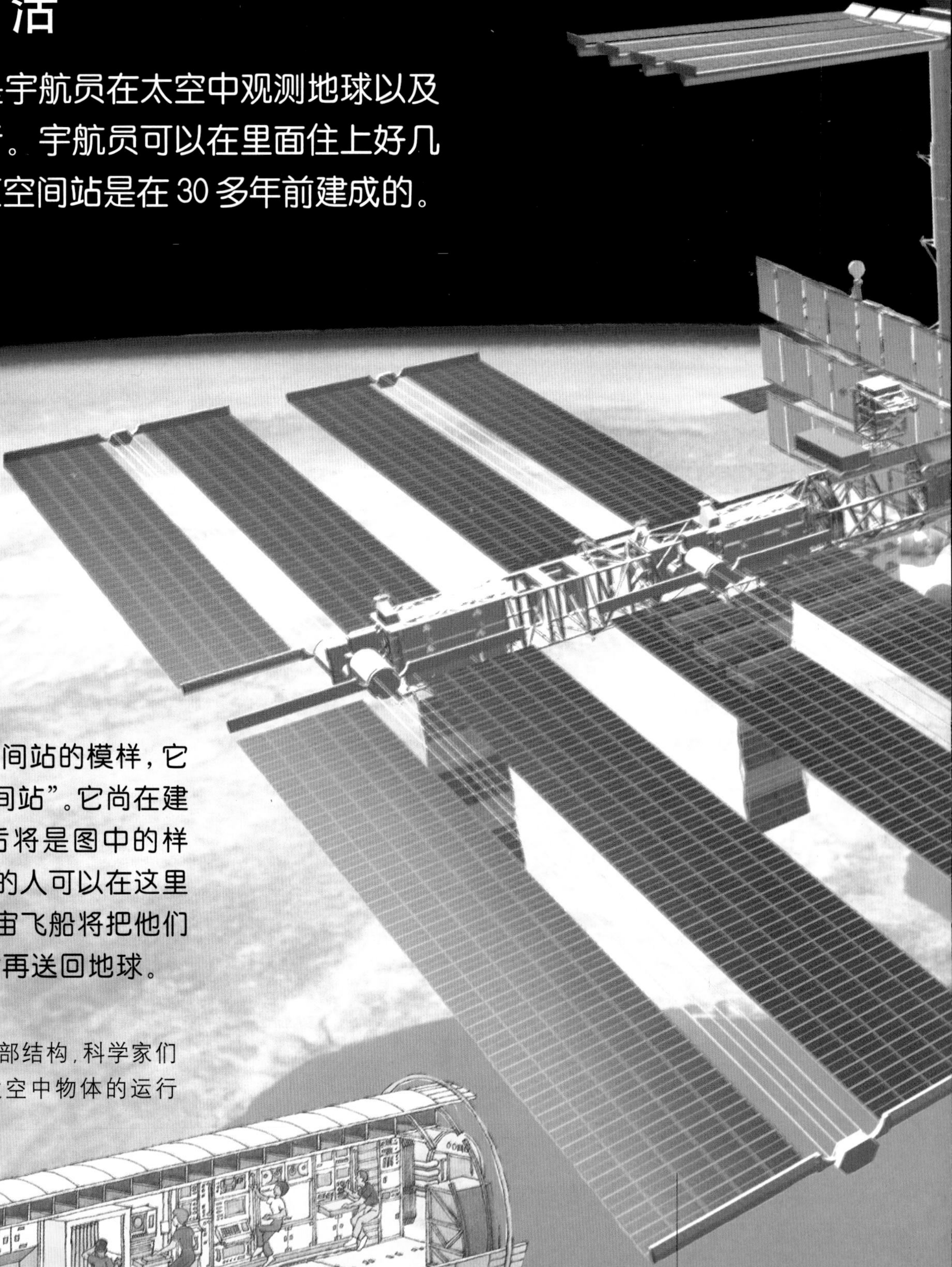

未来

这是未来空间站的模样，它被称为"国际空间站"。它尚在建设当中，建成后将是图中的样子。7个或更多的人可以在这里生活或工作。宇宙飞船将把他们送到这里，然后再送回地球。

下图是实验室的内部结构，科学家们可以在里面观测太空中物体的运行状况。

上图是太阳能板，它们通过收集太阳的热量制造出能量，然后再转化为电能。

若要快速链接本书的网站或免费下载图片，请登陆 www.usborne-quicklinks.com

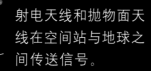

射电天线和抛物面天线在空间站与地球之间传送信号。

十字状钢管将空间站牢固地连接在一起。

空间站飘浮在地球上方400千米（250英里）处。

墙壁分16层。它们抗热御寒并且防止流星体侵入。

全体宇航员在这里生活以及做实验。

如果发生意外,这艘小型宇宙飞船可将全体宇航员载回地球。

生活区

生活区是宇航员工作以外去的地方。下图是生活区的一个侧面。因为太空中没有重力,宇航员将在里面飘浮,不需要坐在椅子上,也不需要躺在床上。

太空卫生间

下图便是太空卫生间的轮廓。使用起来较为复杂。

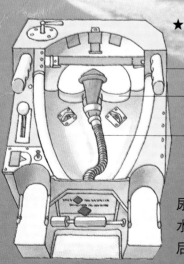

供宇航员握住的把手

座便处

空气通过这根管子将排泄物吸出。

尿液被净化并转化成水。固态排泄物被冷冻后带回地球。

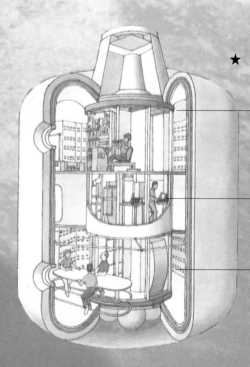

第三层
宇航员可以在这里锻炼、活动。

第二层
就寝区
每个人都有一个小的私人空间。

第一层
宇航员可以围着这张桌子就餐。

19

危险与灾难

进入太空有可能非常危险。宇航员只有在宇宙飞船或宇航服的保护下才能生存。整个飞行过程中最危险的部分是起飞和返回地球的过程。

飞船爆炸

最为惨痛的太空灾难发生于1986年。一艘名为"挑战者号"的宇宙飞船在升空90秒后爆炸。飞船上7名宇航员全部遇难。

"挑战者号"宇宙飞船升空瞬间。

当"挑战者号"宇宙飞船的主燃料箱起火后，引发了这场大爆炸。

从这儿泄漏的燃料着了火。

幸运的"阿波罗 13 号"

1970年，三位宇航员乘坐一艘名为"阿波罗13号"的宇宙飞船去月球。半途中，部分船体发生爆炸，燃料箱也发生了一定程度的爆炸。全体宇航员在这次灾难中幸存下来，但在返回地球的途中几乎耗尽了空气。

宇航员逃到了"阿波罗13号"的这个部位。

这儿发生的爆炸几乎毁了"阿波罗13号"。

飞船的整个一面被炸毁。

宇航员们用贮藏袋、胶带以及胶皮管制成了这个盒子来清洁空气。

浓烟烈焰中飞船升空。

欧洲宇航局于1996年发射了第一枚"阿力亚娜5号"火箭。但火箭上的一台计算机未能正常工作。在点火升空后不到一分钟内，"阿力亚娜5号"便开始偏离航向，紧接着就四分五裂爆炸了。

"阿力亚娜5号"火箭升空瞬间。

人造卫星与太空探测器

人造卫星与太空探测器是无人控制的宇宙飞船。其实，科学家们在地球上遥控它们。大多数人造卫星与太空探测器都装有摄像机或其他观测设备。

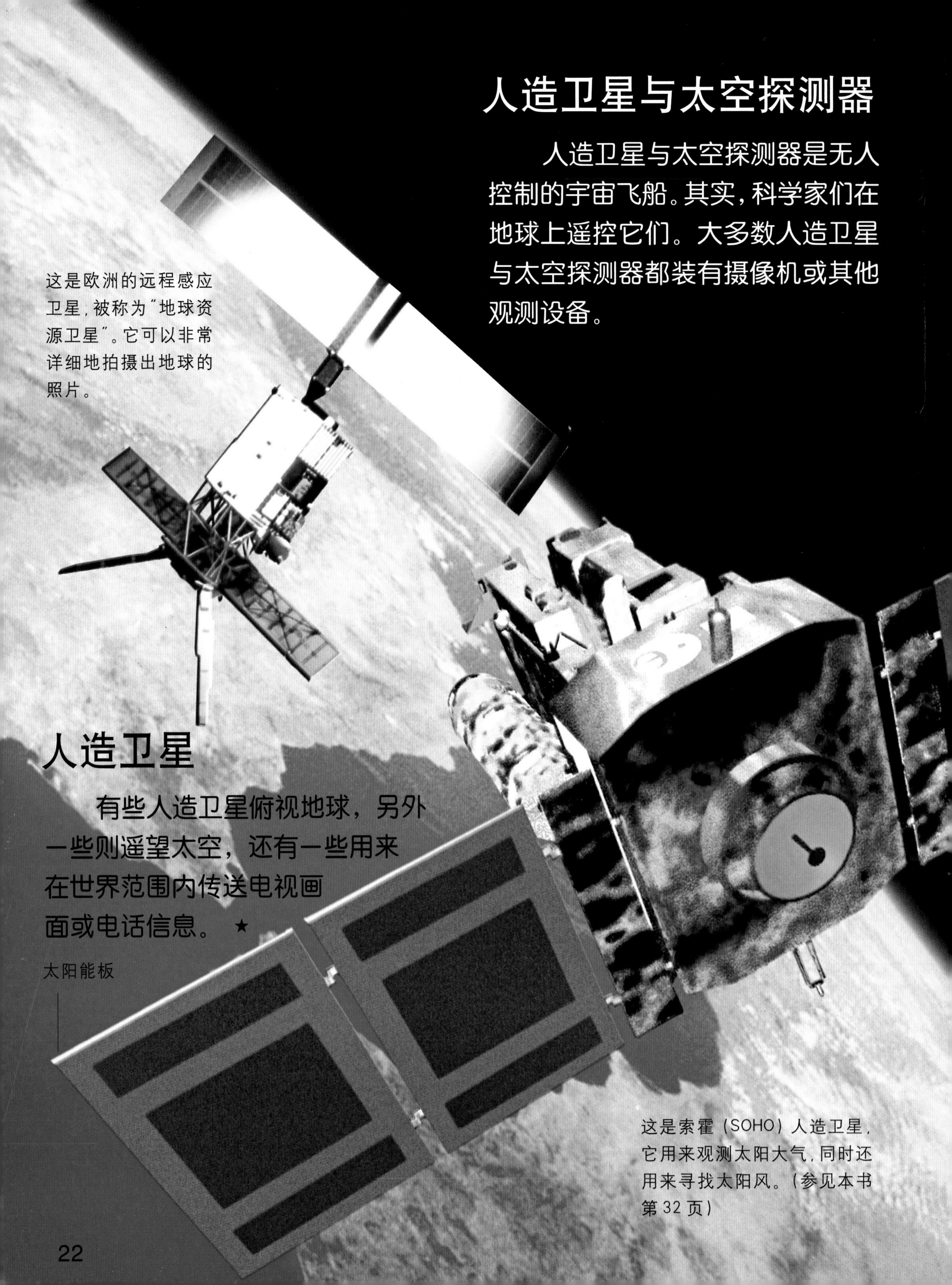

这是欧洲的远程感应卫星，被称为"地球资源卫星"。它可以非常详细地拍摄出地球的照片。

人造卫星

有些人造卫星俯视地球，另外一些则遥望太空，还有一些用来在世界范围内传送电视画面或电话信息。★

太阳能板

这是索霍（SOHO）人造卫星，它用来观测太阳大气，同时还用来寻找太阳风。（参见本书第32页）

22

木卫二（欧罗巴）上有生命吗？

欧罗巴是木星的一颗卫星，表面冰冷。它的下面也许有一片冰冷的、黑色的海洋。科学家们认为他们也许会在那儿发现简单生物体，也许就像那些生存在地球深层地下水里的生物体一样。将来一架太空探测器将登陆木卫二，去探索它更多的奥秘。

欧罗巴

将来，地球上的海底探测器也许会在木卫二的冰层中进行探索。

外星人会是什么模样？

如果我们真能在太空中发现生物，那也许并不十分有趣。它也许会是苔藓之类，而并非是像我们这样有胳膊、有腿还有头的聪明生物。

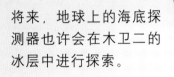

一些科学家认为从火星上的一块岩石中发现的菌状体表明那里存在着生物。

外星人也许在电影中看起来就像这样，但我们并不真正知道他们的真实模样。

★

我们的太阳系包括太阳以及所有围绕它运行的东西。这包括所有行星及其卫星以及彗星之类。还有两条巨大的飘流岩石带，称为小行星带和奎普（Kuiper）带。

在这幅太阳系的图画中，行星未按比例显示。

彗星围绕太阳系运行

天与年

一天是一颗行星自转一周所需的时间。地球上的一天持续24小时。一年是一颗行星绕太阳运行所需的时间。地球上的一年持续365天。

地球	太阳
一天	一年

小行星带

土星是第二大行星。

像木星、土星和天王星一样，海王星是颗气态行星。在太阳系中所有气态行星都比固态行星要大得多。

卫星

太阳系中除水星和金星外，其他行星至少各有一颗卫星。卫星绕行星的轨道运转，并且由于引力作用保持在原位。

金星

水星

太阳

木星是最大的行星。

火星

地球

大气层

多数行星都有大气层——即覆盖在其表面的一层气体。地球的大气层由空气构成，它在我们上方400千米（250英里）之内，保护我们不受太阳的炙烤。

地球的大气层

天王星进行自转，像土星一样，它也有光环。

冥王星是一颗小型的、多岩石的行星。

在冥王星外围有一条称之为奎普带的冰冷的岩石带。

月 球

月球绕着地球运行，就像地球绕着太阳运行一样。到目前为止，在整个太阳系中人类仅到达过月球。

危机之海

月球上的"海洋"实际上是熔岩形成的黑色区域。

火山口由与月球相撞的太空岩石形成。

宁静之海

地球

安详之海

1971年"阿波罗15号"在这里登陆。

如果你乘宇宙飞船绕月球飞行，你看到的地球就是这么遥远。

人们在1969年到1972年间去月球时，宇宙飞船飞了三天才到达那里。

雨之海

月球是什么模样?

月球与地球有很大不同。那里没有空气，没有天气变化，没有生命。那里白天酷热，夜晚寒冷，是个荒凉的、尘土飞扬的地方。月球表面覆盖着被称之为火山口的碟状的空洞。如果在晴朗的夜空仔细观察月亮，您会看到这些空洞。有些空洞大得足以容纳整个伦敦市。

月球从哪里来？

月球与地球的年龄几乎一样大。以下是关于月球来源的一种解释。

1.地球形成后不久，一颗行星★撞击了地球。

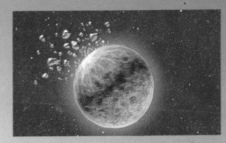

2.岩石破碎并且射入了太空。★

3.岩石块被地球引力控制在★其轨道上。

4.这些岩石慢慢形成了月球。★

月球纪实

● 月球本身并不发光。我们能看到它是因为太阳照射着它。

● 月球自转一周需要 29 天，绕地球一周也需要 29 天。

●我们从来看不到月球的另一面，因为它总是远离我们。

登陆月球

人类登陆月球已有 6 次，但自 1972 年以来尚有人到过那里。登陆月球的宇宙飞船每次都载有两名宇航员。在返回地球前他们会呆上 3 天。

这张照片拍到的是"阿波罗 15 号"登陆月球时的情景。从上页你可以看到宇航员在月球上所处的方位。

宇航员使用了电力发动的汽车。

这位宇航员在向美国国旗敬礼。

这艘宇宙飞船被称为"登月舱"。

太 阳

太阳是一颗恒星。它是一团巨大的燃烧着的气体，不断向外释放着无数的光和热，我们称之为阳光。它形状巨大，可以装下100万个与地球一样大小的行星。它表面上看起来好像是在燃烧，实际上是一个正在爆炸的巨大无比的炸弹。

太阳的表面称为光球层，那儿的温度达到了摄氏5 500度（相当于华氏10 000度）。

太阳表面黑色的区域称为太阳黑子，那里的温度较低一些。

太阳风

除了光和热，太阳还向宇宙空间释放出一条肉眼看不见的微粒流，称为粒子流，这就是太阳风。当这些粒子经过地球的北极和南极时，会与空气摩擦产生漂亮的红、蓝、绿、紫等色彩。

地球和太阳
大小比较图

这就是太阳风照亮北极天空时的情景。

这是一幅日饵图。它是太阳表面一股巨大的拱形热气流，延伸至宇宙空间，状似巨形火舌。

太阳表面

太阳以每秒燃烧 400 万吨燃料的速度来释放光芒。通过这张图片你可以看到太阳表面有无数个漩涡状的爆炸体，火苗和光环不断冲向宇宙空间。

右图为太阳表面的特写照片，从中可以看到喷射状气体。我们称之为等离子环。

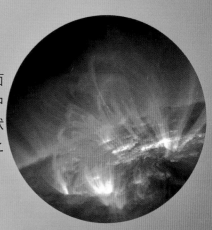

液体、冰（固体）还是气体？

生物体之所以能存在于地球上是因为地球与太阳的距离适当，使水得以以液态存在，而不是以冰或气态存在。

火星太冷

金星太热

太阳

地球正合适

★

有时，太阳表面会出现一些白色区域，我们称之为光斑，这些区域的温度甚至高于太阳表面和其余部分的温度。

水星与金星

水星与金星是距太阳最近的两颗行星。两者都是又小又热。水星上几乎没有大气，而金星却为一层厚厚的气体所覆盖。

小巧的水星

水星是一颗很小的行星。几十亿年前，有许多岩石块撞击水星，使其表面留有大量的陨石坑。因离太阳很近，所以在太阳系所有行星中公转周期最短。它绕太阳一周只需 88 个地球日。

水星只有地球的三分之一大，但它几乎与地球一样重。它有一个密度极高的金属核，占据了其内部将近四分之一的空间。

壳

水星

金属核

大约 40 亿年前，一颗巨大的流星撞击了水星，在其表面留下了一个巨大的陨石坑，称为卡路里盆地，其直径有 1250 多千米（约合 800 英里）。

流星撞击水星

酷热的金星

金星是离我们地球最近的
行星,虽然它与水星相比离
太阳更远,但它表面的温度
却更高。这是因为其
厚厚的由二氧化碳
构成的大气层
极易吸收太阳
的热量并且阻
止它散发到
宇宙中。

下面这幅图片展示了厚厚
的云层下金星的真实面貌。

下面是由"麦哲伦号"太空探
测器拍摄到的金星表面照片。
从中可以看到金星表面的部分
山脉和峡谷。

这幅图中适当添
加了深浅不一的色
彩,以便更清晰地显
示金星的表面。

"麦哲伦号"太空探测器于1990
年至1994年到过金星。

火 星

　　站在火星上，你会感觉与地球上有些相似。在那里，白天有明亮的天空、薄云、朝露和轻微的霜冻，但要比地球上冷得多。

火星的具体情况

　　火星只有地球的一半大。它的表面主要覆盖着岩石和灰尘。其大部分看起来像个大沙漠。它薄薄的大气层，由有毒气体构成。

这是极地冰盖，与地球的北极相像。这里的水早已结成了大块的冰体。

这些标记为大片黑色灰尘。它们被猛烈的风暴席卷得到处都是。

这是奥林匹斯火山。

这是塔尔西斯火山。

这条大峡谷被称为"水手大峡谷"。

"海盗1号"太空探测器于1976年到达过火星，并且在火星表面安放了第一台陆地探测器。

火山和峡谷

火星的特点非常有趣。它表面有许多火山，其中最大的一座叫奥林匹斯火山，也是太阳系中最大的一座火山，高出火星表面25千米（约合15英里）。火星表面还有大峡谷和干涸的水道。

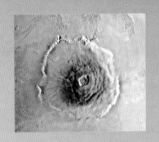

水渠

太空探测器拍摄到的奥林匹斯火山。

"水手大峡谷"是奥林匹斯火山一侧的大裂痕，其中长度足以横跨整个美国。

天文学家认为这些水渠是由水流冲蚀而成，而水现已冻结或散失到了宇宙中。

火星访客

下面是一张火星表面的图片，这是由1997年登陆火星的"探路者号"拍摄到的。"探路者号"上携带了一个名为"索杰纳"的移动机器人。科学家在地球上操纵它。

科学家认为下面这幅图中火星表面的岩石是由几十亿年前的洪水留下的。

"索杰纳"如同微波炉般大小。它装有电视摄像头，并且由地球上的科学家操纵。下面这幅图展示了它的一些重要特征：

A 太阳能电池板使其通过吸收阳光获得能量。

B 带链挡的小轮子能抓牢地面。

C 无线电天线用以保持与地球的联系。

D 摄像头和激光探测头帮助操纵机器人。

在小行星带以外，还有4颗主要由气体构成的大行星，其中最大的两颗是木星与土星。它们又明亮又有风暴。

漩涡的世界

木星是太阳系中最大的行星，而且自转周期最短，转一圈只需9小时50分钟。木星充满风暴。漩涡状的气体云团，呈深浅不一的色带围绕着木星旋转。

大红斑是一个巨大的风暴云团,其大小是地球的3倍。

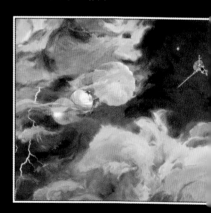

伽利略探测器于1995年用降落伞将一个豆荚状的探测头投进了木星充满气体的大气层。

木星的卫星

木星共有28颗卫星。其中木卫三（嘉里美）是太阳系中最大的卫星。另外一颗艾奥（木卫一）表面上有许多火山。

下面这张太空探测器拍摄到的照片展示了木卫一上又稠又热的气体从一座火山上爆发出的情景。

带圆环的球体

土星是太阳系中第二大行星，其周围有许多石环和冰环环绕。土星很轻，如果把它放到一个巨大的游泳池中，它会浮起来。

各种形状和大小

土星环中的岩石有可能源于一颗卫星和一颗行星的碰撞。土星环中的岩石大的如同房子一般，小的只有鹅卵石般大小。下面这些图片展示了其可能产生的过程：

一颗卫星和一颗行星发生了碰撞。

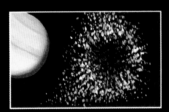

这颗卫星破碎成了数十亿颗碎片。

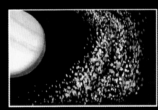

这些碎片仍留在土星的轨道中。

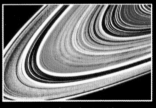

逐渐地，它们就形成了土星环。

土星的卫星

土星至少有24颗卫星，也许会更多。"泰坦"（土卫六）是其中最大的一颗。它上面有一层厚厚的大气。

月球

这是"泰坦"和水星以及月球大小的比较图，由此可看出"泰坦"有多大。

水星

泰坦

这是一张"泰坦"大气层的特写照片。

天王星与海王星

天王星与海王星是巨大的气态行星，各自的体积大约是地球的 4 倍。在夜空中我们很难用肉眼看到，但是可以通过天文望远镜观测到。

天王星

海王星

地球

这就是天王星、海王星和地球的大小对比图。

天王星

天王星高速旋转。其最外面被一层薄雾所覆盖，包围着里面厚厚的气体；再往里，天王星有一个由固体岩石构成的核。

这些是天王星的部分卫星：

昂布利尔（天卫二）

埃里厄尔（天卫一）

泰坦尼娅（天卫三）

拼凑起来的卫星

天王星共有 21 颗卫星。其中一颗名为"米兰达"，其表面看起来像个巨大的拼图。也许，几百万年以前，它曾经破裂成碎片。但随着时间推移和引力的作用，这些碎片又慢慢地重新聚拢。

奥伯龙（天卫四）

米兰达（天卫五）

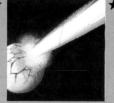
★ 一颗彗星也许曾撞击了米兰达。

★ 米兰达的碎片又渐渐飘浮到一起。

★ 米兰达慢慢地又并拢成了一个整体。

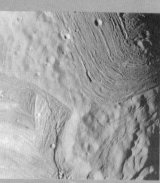
这就是现在米兰达地表的样子。

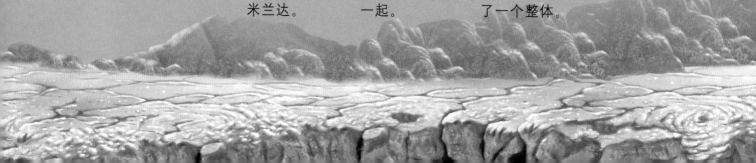

海王星

海王星拥有太阳系中最猛烈的风暴。暴风以每小时2000千米(约合1250英里)的速度横扫海王星外围的甲烷云团。

喷水的卫星

海王星有8颗卫星。其中"特赖登"(海卫一)是一个冰冻的星球。它表面上的冰起到温室一样的作用,能够增强太阳微弱的射线,加热冰盖下面的气体。由此使得热气体和雪泥冲破冰盖喷射到了宇宙空间。

"特赖登"绕轨道运转的方向与海王星其他的卫星正好相反。

来自地球的访客

"旅行者2号"太空探测器曾在1986年和1989年分别到访过天王星和海王星,它用了12年时间才从地球到达海王星。

这张图片展示了"特赖登"的地表情况,一股热气体和雪泥柱正从冰盖下喷涌而出。

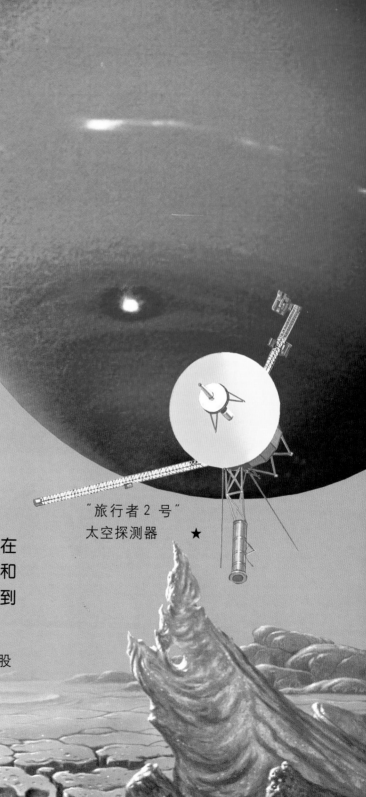

"旅行者2号"太空探测器 ★

冥王星及其以外的太空

冥王星处于太阳系的最边缘，远离太阳大约有60亿千米（合40亿英里）。因离太阳太远，直到1930年才被发现。与天天星和海王星这些气态行星不同，冥王星是由岩石和冰构成的固态球体。

月亮般大小

冥王星是个很小的行星，它比月球还要小。冥王星和其卫星"卡戎"加起来才能填满整个美国。有些天文学家认为冥王星只是个小行星，不属于九大行星。

冥王星的卫星——"卡戎"

冥王星

太空探测器要用12年时间才能到达冥王星。

冥王星可能有一层含氮气的稀薄大气。

奇特的轨道

冥王星要用248个地球年才能绕太阳一周，其中有20个地球年的时间比海王星更靠近太阳。太阳系所有的行星基本上是在同一个平面轨道上运行，只有冥王星运行在一个完全不同的轨道上。

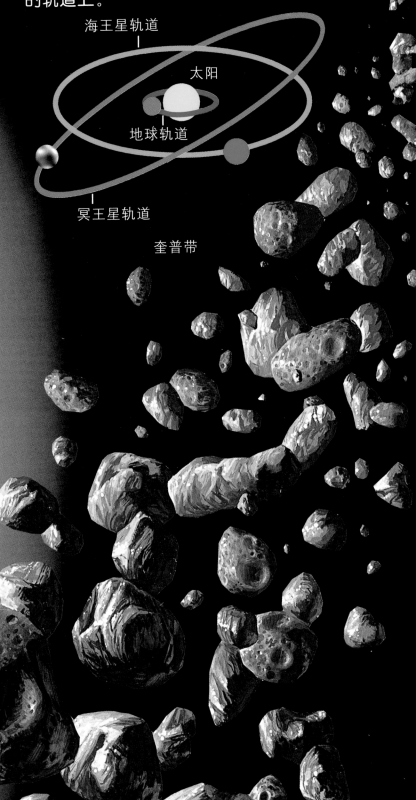

海王星轨道

太阳

地球轨道

冥王星轨道

奎普带

奎普带

在冥王星之外，还有一个巨大的冰冻岩石环，称为奎普带。一些天文学家称其中一些岩石比冥王星还要大。

当太阳系形成时，奎普带中松散、飘浮的岩块并没有聚拢成太阳系的一颗行星。

奥特（Oort）云

在太阳系以外更远的太空还有些薄雾状的云团，可能是由千百万兆的彗星组成的，这称为奥特云。

奥特云包围在太阳系的外围边缘，像一个巨大的灰尘球体。

太阳系

43

太阳系中的"小不点"们

我们的太阳系中不仅只有太阳、九大行星和它们的卫星，其中还飘浮着数不尽的小行星、流星和彗星。

小行星带。一些小行星几乎和巨砾一般大小。

小行星

小行星群是由岩块和金属块组成的。在火星和木星之间有成群的小行星，称为小行星带。其中最大的一颗被称为谷神星，其直径约为975千米（合605英里），有些小行星甚至有自己的卫星。

流　星

流星是宇宙中更小的岩石。大部分都如速溶咖啡颗粒般大小，但也有一些是大块的岩石。当闯入地球时，大部分流星都会在大气层中燃烧殆尽，而那些太大的流星没有燃尽便落到了地球上，从而造成破坏。

在天空中燃烧的流星叫做陨星或流星。

美国的亚利桑那州的这个陨石坑即是由流星撞击而成的。

彗　星

　　彗星是由冰和灰尘组成的巨大球体。它们从太阳系的边缘进入太阳系围绕太阳运行。一过木星，太阳的热量就开始融化彗星最外面的一层，从而在太阳风的吹拂下留下一个由空气和灰尘组成的尾巴。

贝叶挂毯上是人们于1066年观赏彗星时的情景。

下面这幅图是黑尔—波普彗星于1997年经过地球时的情景。

彗星离太阳很远的时 ★
候并没有尾巴（彗尾），
它只不过是一个脏乎
乎的固体冰块。

接近太阳后，彗星的表 ★
层开始融化并形成一
个由气体和灰尘组成
的彗尾。

当彗星经过地球时，★
因其闪闪发光，人们
便极易看到。

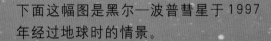

浩渺宇宙

宇宙指空间中的所有物体。我们根本无法想像宇宙到底有多大。科学家们认为宇宙一直在变大，所以我们是永远看不到宇宙的边缘的。

光 年

宇宙的空间非常大，我们根本无法用普通的单位来测量其空间距离。因此，科学家用"光年"这一概念来加以描述。一光年即是指光在一年的时间里所走的路程。

穿越宇宙的航行

这些图片展示的是你如果乘坐宇宙飞船穿越太空所能看到的景象。从地球出发（在这一页的底部），并沿数字所标的路线行进。

② 在这儿就到达了我们的星系——银河系的边缘，距地球有 90,000 光年远。

① 当你穿过月球和其他行星时，就会到达最近的恒星，距离地球 4 光年。

行星

月球

地球

出发点

46

光的速度

在宇宙中光的速度最快。光只需1.3秒就可以从月球到达地球，8.5分钟就可从太阳到达地球。

③ 这是仙女座星系，是离银河系最近的星系，有250万光年的距离。

大爆炸

大多数科学家认为宇宙起源于一次剧烈的爆炸。以下就是其可能的爆炸经过：

50亿年前发生了一 ★ 次大爆炸，由此，宇宙中的所有物质均在一瞬间形成。

★ 随着爆炸逐渐冷却，旋转的气体云团逐渐聚集成块，由此，恒星开始形成。

这些云团开始聚集成星系。50亿年前我们的太阳和太阳系开始形成。

④ 许多星系聚拢成团，我们的银河系所处的巨大星团称为本星团。

⑤ 再往外，层层星团相互包围，组成更大的星团，称为超星团。

恒星有多大?

恒星的大小千差万别。这些是其他恒星与我们的恒星——太阳的大小对比图。

太阳

公牛星

参宿七星

大角星

巴纳德星——

遥远的"太阳"

夜晚,当你仰望天空时看到的星星其实是上千万颗遥远的太阳。这些恒星看起来之所以这么小,是因为距离我们太遥远。

恒星的颜色

并非所有的恒星都是白色,尽管很难从夜空中加以分辨。有些恒星是红色、黄色或蓝色的。这些区别是很容易从照片中看出来的。

下面是射手座中的恒星。

白色或蓝色的恒星通常又亮又热。

黄色的恒星,如我们的太阳,其温度通常比白色或蓝色的恒星要低。

一些最大的恒星是红色的,与其他恒星相比温度要低些。

若要快速链接本书的网站或免费下载图片，
请登陆 www.usborne-quicklinks.com

恒星群

　　恒星看起来好像散布在天空中，其实，它们都群居在一起。这是因为新的恒星通常是成团形成，而不是单个生成。恒星群主要有两类——松散群和球形群。

这是一个松散群。松散群中的恒星通常都明亮而年轻。

下图是一个球形群。这里的恒星群年龄较大，而且比松散群中的恒星更加紧密地聚集在一起。球形群中含有 100 万颗恒星。

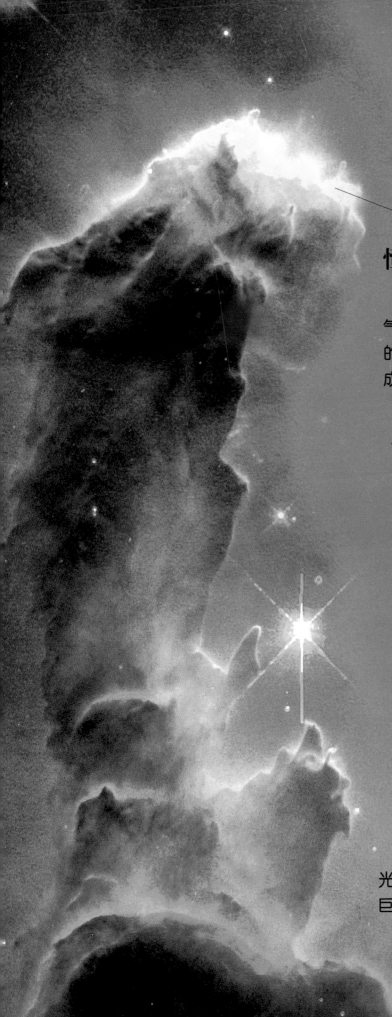

恒星的一生

一颗恒星从诞生到发光，再到最后死去，它一生中的每一个时期都会经历几百万年。

恒星正在这里诞生，就在这根灰尘柱的顶端。

恒星的诞生

恒星是在称之为星云的巨大的、旋转的气体和灰尘中混合形成的。左图是小鹰星云的部分面孔。下图是一颗恒星在星云中的生成过程。

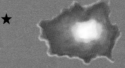

★ 1.星云内部，气体云团形成密集的凝块。

★ 2.这些凝块突然向里塌陷，形成一个核心。这个核心将变成一颗恒星。

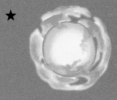

★ 3.这个核心越来越热。

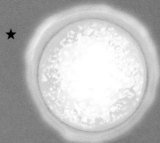

★ 4.炙热的气体开始爆炸，中心部分开始发光。

中等大小的恒星，比如我们的太阳，能发光100亿年，小一些的恒星发光时间会更长些。巨大的恒星发光强烈，但会更快地燃烧殆尽。

小鹰星云如此之大，以至于光要用一整年的时间穿过本图所示的这片区域。

恒星之死

最后，恒星的气体供应逐渐耗尽，直至消亡。50亿年后，同样的事情会发生在太阳身上。

1．我们的太阳会变成一个红色的大巨人。这就是说，它将膨胀变红。

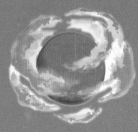

2．外部的气体会在太空中燃烧殆尽。

3．一个非常结实而又更小的球——小白矮人——将会生成。

4．小白矮人会逐渐冷却，直至最后消失。

超新星

当比太阳大得多的恒星抵达生命尽头时，它们就会爆炸。这种爆炸的恒星叫做超新星。在过去的1000年中地球上只看到过4次这种情况发生。

这颗正在死去的恒星是沙漏星云。气体的光环正被慢慢吹走。

若要快速链接本书的网站或免费下载图片，请登陆 www.usborne-quicklinks.com

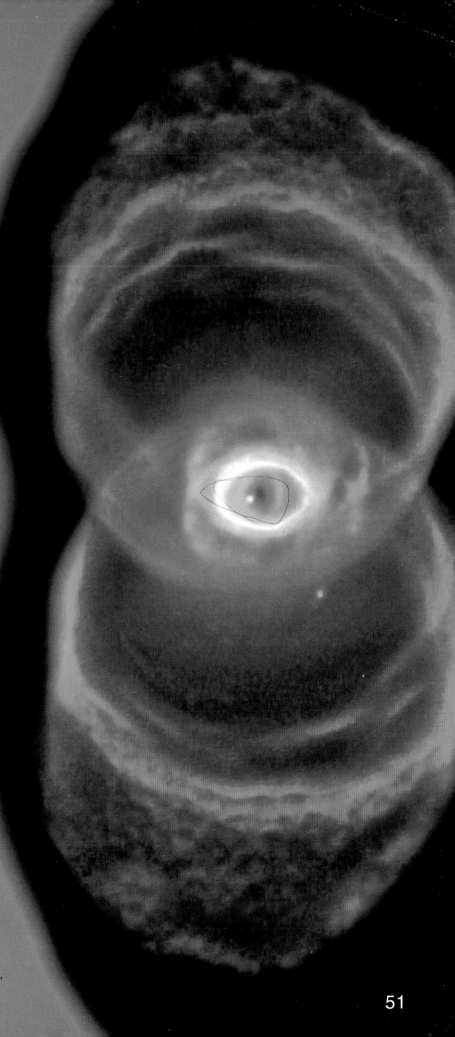

星系知多少

　　星系是数十亿颗恒星的聚集体。这些恒星在一个巨大的群体中被引力拴在一起。大多数星系呈螺旋形，但也有一些呈更加分散的形状。宇宙中有几十亿个星系。

银河系

　　太阳是一个被称之为银河系的星系的一部分。银河系有超过1000亿颗恒星，横跨10万光年。银河系虽不是宇宙中最大的星系，但比其他很多星系大多了。像大多数星系一样，它绕着一根中轴旋转。★

天文学家认为太阳和太阳系在这个位置。

漫长的旅途

　　环绕银河系一周需要2.25亿年，上一次我们太阳系位于现在太空中的这个位置时，恐龙还在地球上漫步呢。

从侧面看，银河系像一个扁盘子，只是中间鼓了起来。

银河系中央被巨大的灰尘云所覆盖。

星系形状

并不是所有的星系看起来都像银河系。也有其他几种形状的星系。右图即为其中的三种。

这种类型被称为不规则星系。它根本无形状可言。★

这种星系被称为椭圆形星系。★

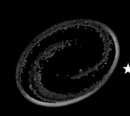

这种星系则被称为条状螺旋星系。★

射电观测

一台射电望远镜比一台天文望远镜能更清楚地观测到银河系。下图清晰地显示出在我们星系中央的一个隆起部分。

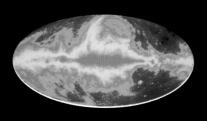

图中红色区域显示，大多数银河系中的恒星集中于此。

星系知多少

100年前，天文学家们认为银河系是宇宙中惟一的星系。但在过去的100年里，天文望远镜和射电望远镜成功探测到了几百万个其他的星系。

这张照片显示的是最新发现的星系。在这张照片拍摄之前，天文学家们认为这片区域一无所有。

若要快速链接本书的网站或免费下载图片，请登陆 www.usborne-quicklinks.com

在辽阔而又遥远的太空深处，恒星和星系以种种奇特而又美妙的方式运动着。直到最近，科学家们才发明出足够强大的天文望远镜和射电望远镜，得以看清这些东西。

这是一张假想图，讲的是天文学家对黑洞的设想。它毫不留情地吞噬着身边所有的东西。

典型的黑洞有一个城镇那么大。

黑洞周围的一切在被吸进去之前会围绕黑洞高速旋转。

一股超热气体的喷气流从黑洞的上下两端喷射而出。

黑　洞

当一些大的恒星死去的时候，它们会自行塌陷，而不是逐渐消失。恒星的所有组成部分会聚敛到一个叫做黑洞的巨大而又密集的球体里。这个球体引力强大，能将它身边的一切东西，包括光在内

宇宙混乱

宇宙中的一切都在运动着，有时整个星系会彼此穿越对方的轨道。右图中是两个天须星云正在相撞的场景。一个星云要用几百万年才能完全穿越另一个星云。

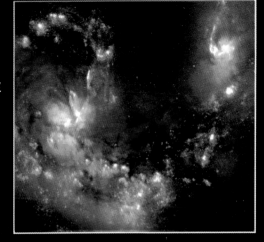

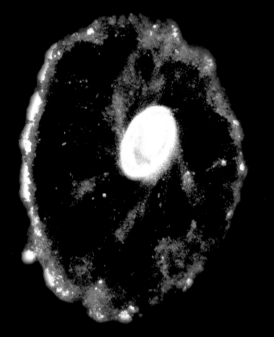

车轮状星云

左图中显示的是一个星云在和另一个星云相撞后发生的情景。天文学家称其为车轮状星云。因为由新恒星组成的巨大的车轮状圆圈在星云边际生成。

旋 球

有时一个正在塌陷的恒星会生成一颗脉冲星，而不是黑洞。当恒星收缩时，它旋转得越来越快，密度也越来越大，一块方糖大的体积竟重达 10 亿吨。

在巨蟹星云中有一颗脉冲星。

外星人发出的信号？

当科学家们最初探测到脉冲星时，他们以为已同外星人取得联系。射电望远镜收到的有规律的哔哔声听起来像从外层空间传来的信息。

脉冲星旋转，发射出电波，或叫脉冲，由叫做电子的小斑点组成。射电望远镜可以接收到它们。脉冲星看起来一闪一灭。

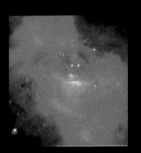

你能看到它，在这里一闪一闪的。

射电望远镜

螺旋星系

银河系

月球

恒星群,这是金牛
座中的毕星团。

旧恒星。它叫
参宿四。

这群恒星叫
猎户座。

这颗恒星叫天狼星,它是天
空中最亮的一颗恒星。

你可以看到的东西

如果你清楚想找的目标,那么
夜空中有许多可以看得到。上图只
是一些你不用天文望远镜就可看到
的东西,本书中你也可找到其中一
些。

遥望夜空

尽管本书中许多照片是借助于天文
望远镜拍摄到的,你仍可以用肉眼看到
夜空中许多迷人的东西。

月 亮

夜空中最亮的物体莫过于月亮。
你可以在黑暗中看到它明亮地发光,
这是因为它被来自太阳的光所照亮。
月亮围着地球旋转,其外形看起来也
随之变化。

新月
没有光照到月亮上,我
们就看不到它。

盈月
渐渐地有一缕光照过
来,月亮好像在长大。

满月
29天一次,月亮的一面
完全被阳光照射。

亏月
月亮在轨道上移动,越
来越少的光照在它身
上,它好像是在收缩。

恒　星

晴朗的夜空中遍布恒星，你可以看到其中某些呈现出特殊的形状。这些形状叫星座，共有88个。

这叫猎户座，你可以在上页中见到它。古代的人们认为它像一个猎人。

这是一张猎户座照片。

银河

在远离城市之光时，如果夜空晴朗，你会在一年中的某些时段看见银河系。它看起来像一条由模糊的恒星泼洒到天空所形成的宽带子。

这张图片展示的是晴朗夜空中银河系的壮丽景象。

若要快速链接本书的网站或免费下载图片，请登陆 www.usborne-quicklinks.com

双筒望远镜和天文望远镜

仅用肉眼，你就可以在夜空中看到很多东西。但若借助双筒望远镜或天文望远镜，你能看到更多。

双筒望远镜

一副好的双筒望远镜要比一架天文望远镜便宜得多。双筒望远镜适宜观天，因为它们很轻，容易对准你想观看的目标。

这张照片显示的是在双筒望远镜中看到的恒星群和三颗独立的恒星的模样。

用这个调焦轮，可以使物体显得更清晰。

手握这个部位。

赏 月

试着用双筒望远镜或天文望远镜赏月，你可以看见高山、陨石坑和平坦的"海"。阳光投下长长的阴影。

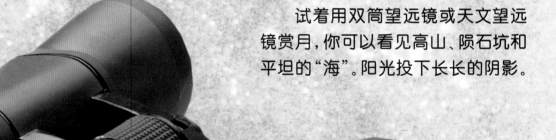

通过接目镜观看。转动调整它，你可以看得更清楚。

双筒望远镜有两个前镜片，一个接目镜上一个。

天文望远镜

与双筒望远镜相比，用天文望远镜观测天体，效果更佳。尽管如此，你不值得买一架便宜的天文望远镜。如果不太宽裕，双筒望远镜是一个很不错的选择。

这是通过天文望远镜观测到的和左页上相同的三颗恒星和恒星群，只不过它们看起来更大一点罢了。

大多数天文望远镜很重，所以需要把它们固定在支架上。若不晃动，可以看得更清楚。

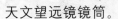

天文望远镜镜筒。

这是一架小型天文望远镜，在使用大型天文望远镜之前可以先用它来寻找目标。

这是用本图所示的天文望远镜观测到的仙女座星系。

星 系

如果你了解一些星系的位置，你甚至可以用天文望远镜观测到其他星系。它们看起来就像模糊的小光斑。最容易观测到的是距离地球250万光年的仙女座星系。

转动此轮，物像更清晰。

这是天文望远镜的观测口。

这个三只脚的支架叫三脚架。

太空相关词汇注释

以下是本书中出现的有关太空方面的一些重要词汇：

外星人 alien 来自另外一个世界的生物。

天线 antenna 无线电一部分，电波从这里被接收或发送。

小行星asteroid 环绕太阳运行的一块石头。在太阳系中的小行星带中，可以看到数以千计的小行星。

宇航员 astronaut 进入太空的人。

大气层 atmosphere 包围着行星或恒星的一层气体。

货舱 cargo bay 航天器，譬如太空火箭的一部分。大型物品，如卫星或太空站的零部件，可放置于此。

群cluster 聚在一起的太空物体组成的一个群，比如说恒星群或星系群。

彗星 comet 一团不洁冰，绕太阳运行时逐渐熔化，尾部形成一条长尾，有时距地球很近，我们可以看见。

核心 core 行星、卫星、恒星或其他天体的中央部分。

陨石坑 crater 行星、月球或小行星表面上的坑，由陨石或小行星等撞击而成。

天 day 行星或月球自转一周所需的时间。

星系 galaxy 由引力所吸引而聚在一起的几十亿颗恒星群。

引力 gravity 把物体拉向另一些物体的力量。（通常小物体被拉向大物体。）

实验室 laboratory 科学家做实验的地方。

光年 light year 一束光跑一年所走的距离，有9.5万亿千米（合5.9万亿英里）。

陨星meteor 流星经过大气层未完全燃尽而落在地面上的部分，也叫流星。

陨石 meteorite 含石质多的陨星。

小行星 meteoroid 环绕太阳的尘埃或小块石头。

卫星 moon 环绕其他行星的小型行星。

星云 nebula 巨大的气体灰尘混合云，在其中生成新的恒星。

轨道orbit 太空中一个物体环绕另一个物体运行的路径。比如说，地球围绕太阳运行，月亮围绕地球运行。

行星 planet 由岩石或气体组成的巨大球体，绕恒星运行。

射电望远镜 radio telescope 一种用电波来"观看"天体的望远镜，在第10～11页可以看到一些射电望远镜的照片。

机器人 robot 一种与人工作时几乎完全一样的机器。

火箭 rocket 航天器的引擎，用燃料作动力。

卫星 satellite 1：太空中环绕另一物体运行的物体。例如，月球是地球的卫星。2：环绕地球运行无人驾驶的航天器。

太阳能板 solar panel 一层用于吸收太阳热量并用以发电的薄金属板。

太阳系 solar system 环绕太阳运行的行星和其他物体的总和。在第28～29页。可以见到太阳系的图片。

太阳风 solar wind 从太阳表面吹向太空的一股微粒流。当经过地球的北极和南极时，它们照亮天空。

航天器（宇宙飞船）spacecraft (also called spaceship) 用来作太空旅行的运载工具，如果不载人，它会自动驾驶。

太空探测器 space probe 收集太空信息的无人驾驶航天器。

太空站 space station 太空中用于太空开发的基地。在第18～19页上可以见到。

太空行走 space walk 身着宇航服的宇航员离开宇宙飞船在太空中飘浮运动。

恒星 star 巨大的燃烧着的气体球。

表层 surface 恒星、行星或其他太空物体的最外层。

宇宙 Universe 太空中存在的所有东西。

失重 weightless 在太空中的人或物体看起来好像没有重力、处于四处悬浮的状态。

年 year 行星环绕太阳一周所需的时间单位。地球一年有365天。

太空词汇索引

英国初级百科全书
海　洋

作者　本·丹尼
译者　徐　莉　娜

网络链接提示（供父母和教师参考）

www.usborne-quicklinks.com 为你提供上网捷径。打开网址后，孩子们可以浏览以下各项内容：

- 鱼的设计
- 听鲸鱼的声音
- 观察藤壶进食过程
- 浏览水手学校
- 揭开食物链的奥秘
- 到太阳系游览
- 通过哈勃太空望远镜欣赏图片
- 了解宇航员如何为太空飞行而作训练准备
- 去国际太空站观光
- 寻找异国生活方式

上网的条件

只要具备电脑或者网络浏览软件，你就可以在家里进入书中所提供的多数网站。一些网址则需要输入装置才能播音放像，制做动画或者播放三维图像。如果你的电脑上没有所需的插件，点击网址后，电脑屏幕上就会出现提示信息。这些网址一般都会为你提供可下载的插件，或者你可以从 www.usborne-quicklinks.com为你提供的Net Help网上下载插件。

可下载的图片

带有★标志的图片是可下载的图片。本网站的快速连接和图片可供免费使用，例如，可用于家庭作业和设计。所提供的图片不可复制或发行以牟取经济利益。进入 www.usborne-quicklinks.com，按照提示操作，就可以找到图片。

电脑并非必需：

本书本身就是一部独立完整、编排精美、内容丰富的好书。

网站的可靠性

对网站的可靠性本书不做任何承诺，其信息的准确性和得体性均由网站自负其责。尽管如此，网站编辑认为书中的网址都经过了审核，因此适合儿童浏览。

我们建议儿童在父母的监督下浏览网站，不要进入聊天室。

网站路径

有时网站路径不通。这也许是因为网站暂时出了问题，可稍后再试。或许有的网址发生了变化，也许有的网站被关闭了。usborne-quicklinks 网站会定期更新连接栏，为你提供正确的路径，或者为你提供其他相应的网址。

帮助

有问题时，通常可以进入usborne-quicklinks，点击 Net Help，以获得帮助和指导。Net Help 可为你提供简要说明及所需软件，也可以为你推荐其他相关网址。

儿童注意事项：

- 未经父母、老师或电脑所有者的许可不得上网。
- 万不可在网上提供有关自己的真实姓名、地址、电话号码等信息。
- 万不可跟任何上网者见面交往。

你想进入本书所提供的网站吗？
你想免费下载图片吗？
那么，请你点击 www.usborne-quicklinks.com

目 录

海 洋

　　海洋覆盖地球的面积超过2/3，所以从太空看地球，地球是蓝色的。地球上有5大洋。大洋靠近陆地的水域或大洋中的小水域叫做海。

水中世界

　　海洋下面像一个丰富多彩的世界：有峡谷、大山、森林、海草和很多奇异的动物。

网络连结
在www.usborne-quicklinks.com可以找到Ocean Planet Web site，从这个网站可以看到有关海洋的有趣内容。

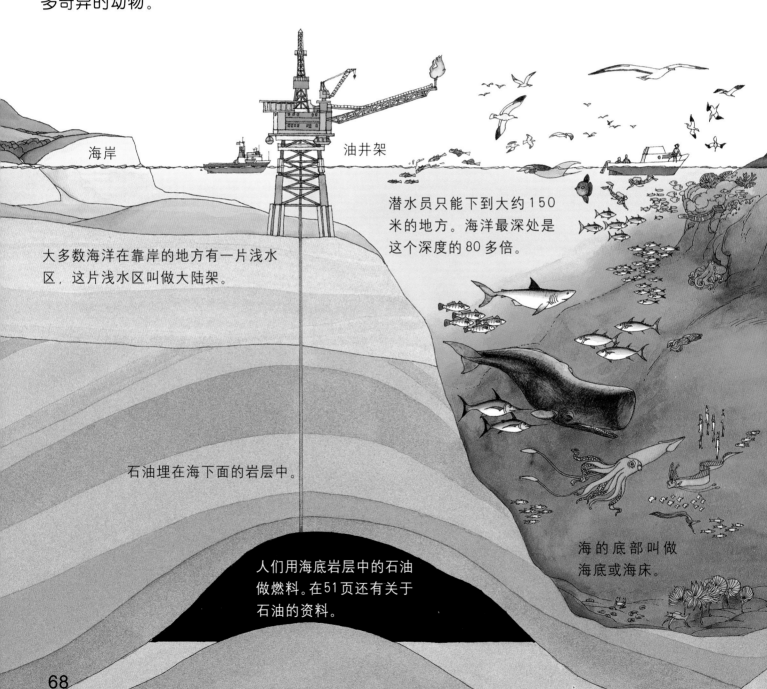

海岸

油井架

潜水员只能下到大约150米的地方。海洋最深处是这个深度的80多倍。

大多数海洋在靠岸的地方有一片浅水区，这片浅水区叫做大陆架。

石油埋在海下面的岩层中。

人们用海底岩层中的石油做燃料。在51页还有关于石油的资料。

海的底部叫做海底或海床。

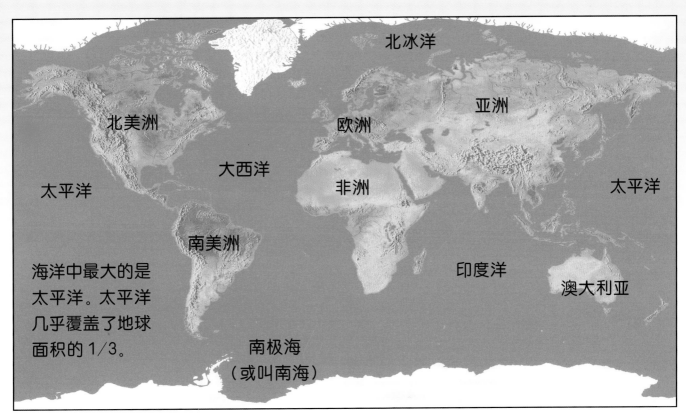

北冰洋

亚洲

北美洲

欧洲

大西洋

非洲

太平洋

太平洋

南美洲

印度洋

海洋中最大的是
太平洋。太平洋
几乎覆盖了地球
面积的1/3。

澳大利亚

南极海
（或叫南海）

这张世界地图标出了5个大洋的位置。地球实际上是圆的，所以标在地图
两边的太平洋是连为一体的。

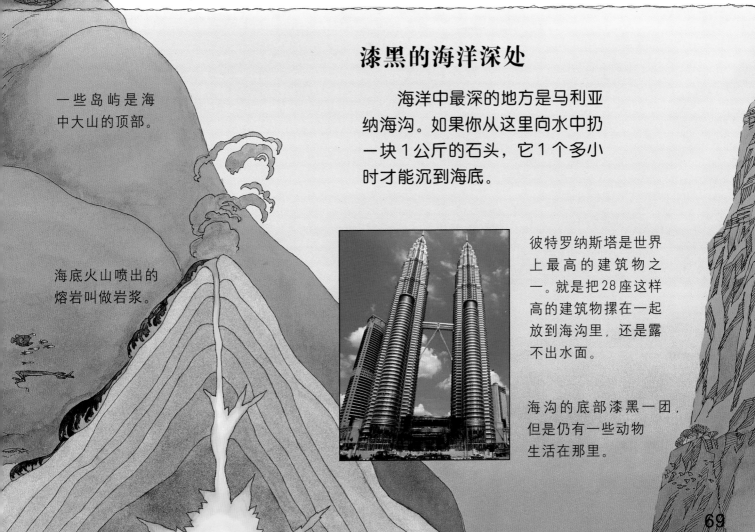

漆黑的海洋深处

一些岛屿是海
中大山的顶部。

海洋中最深的地方是马利亚
纳海沟。如果你从这里向水中扔
一块1公斤的石头，它1个多小
时才能沉到海底。

海底火山喷出的
熔岩叫做岩浆。

彼特罗纳斯塔是世界
上最高的建筑物之
一。就是把28座这样
高的建筑物摞在一起
放到海沟里，还是露
不出水面。

海沟的底部漆黑一团，
但是仍有一些动物
生活在那里。

水 下 生 物

　　海洋里充满了植物和动物。下面一些动物和植物在书中的其他地方可以找到。

通过www.usborne-quicklinks.com可以找到Virtual Fishtank Website,在这个网站你可以设计自己的鱼。

鲨鱼是凶猛的捕食者。84～85页可以看到有关鲨鱼的资料。

90～91页介绍海豚。

有关珊瑚礁和生活在珊瑚礁上的动物资料,请看76～89页。

海蛞蝓收集其它动物的毒素。请看83页。

什么是鱼?

　　鱼是生活在水中的动物。鱼有几千种不同类型。它们形状各异,大小不同,但是它们都有鳃和鳍。鱼靠鳃在水下呼吸,靠鳍到处游动。

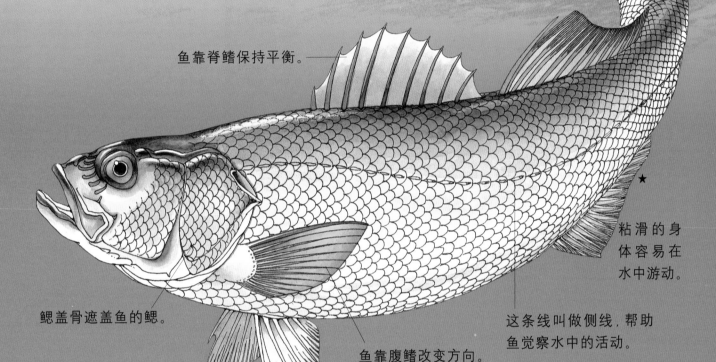

尾鳍

大多数鱼都有尾鳍。鱼靠摆动尾鳍游动。鱼的尾部肌肉很有劲,所以它们可以轻松自如地在水中游动。

鱼靠脊鳍保持平衡。

粘滑的身体容易在水中游动。

鳃盖骨遮盖鱼的鳃。

这条线叫做侧线,帮助鱼觉察水中的活动。

鱼靠腹鳍改变方向。

利用胸鳍转弯。

呼吸

　　鱼从水中吸收氧。图中显示吸氧的过程。

鱼鳃在这里面。

鱼向前游动时把水吸入口中,水通过鳃。

鱼从水中吸氧。水从鳃盖下面流出。

鱼鳞

　　大多数鱼身上都有鳞片覆盖。鱼鳞防水,还可防止寄生虫入侵或其他捕食者的伤害。

鱼鳞相互重叠,形成保护层。

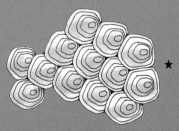

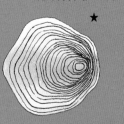

鱼鳞上的圈显示鱼的年龄。有的鱼能活80年。

71

谁 吃 谁？

海洋动物相互依存。一些动物靠吃植物生存，但另一些动物则是靠捕食其他动物而生存。

捕食者和猎物

捕食其他动物的动物称为食肉动物。食肉动物的捕食对象叫做猎物。

这条逆戟鲸就是食肉动物。这些鲭是逆戟鲸的猎物。

随波逐流的浮游生物

浮游生物是很多其他动物的食物。浮游生物可分为动物和植物两种。在海洋里有成万上亿的浮游生物。它们不会游水，只能随波逐流。多数的浮游生物体形极其微小。

水中的微小植物，像这些硅藻，叫做浮游植物。一杯海水含浮游植物达5万之多。

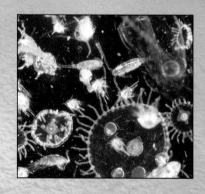

图片上的这些浮游动物要比它们的实际体形大得多。多数的浮游动物还不如这段说明文字中的一个字大。

生物链

　　这几幅食物链图显示了谁吃谁的关系。箭头标示着猎物和捕食者的关系。多数的食肉动物同时也是其他动物的捕猎对象，尤其是比它大的动物。没有天敌的捕食者叫做无敌食肉动物。

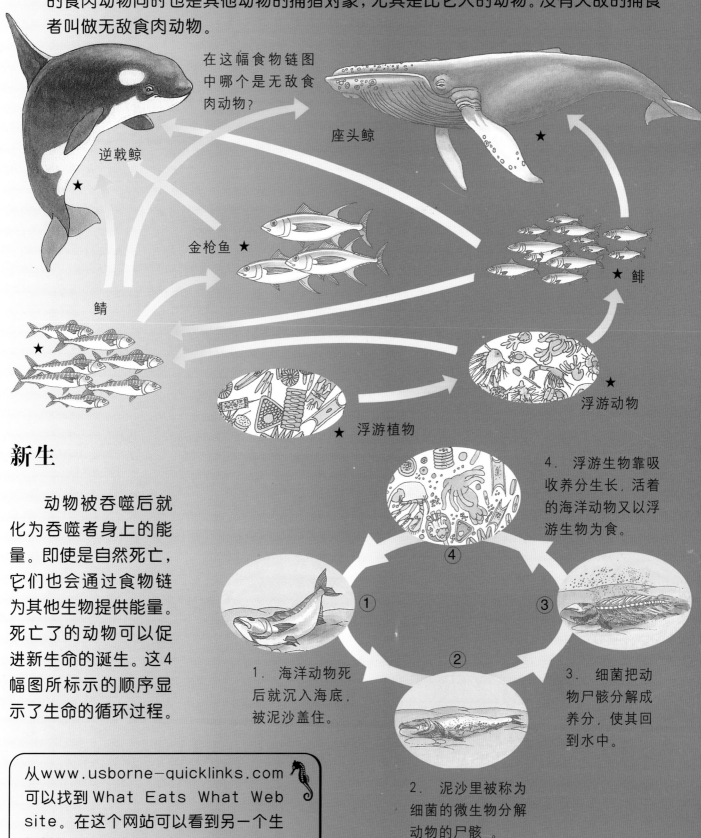

在这幅食物链图中哪个是无敌食肉动物？

座头鲸 ★

逆戟鲸 ★

金枪鱼 ★

鲭 ★

★ 鲱

浮游植物 ★

★ 浮游动物

新生

　　动物被吞噬后就化为吞噬者身上的能量。即使是自然死亡，它们也会通过食物链为其他生物提供能量。死亡了的动物可以促进新生命的诞生。这4幅图所标示的顺序显示了生命的循环过程。

④

①

③

②

4. 浮游生物靠吸收养分生长，活着的海洋动物又以浮游生物为食。

1. 海洋动物死后就沉入海底，被泥沙盖住。

3. 细菌把动物尸骸分解成养分，使其回到水中。

2. 泥沙里被称为细菌的微生物分解动物的尸骸。

从www.usborne-quicklinks.com可以找到 What Eats What Web site。在这个网站可以看到另一个生物链。

藏 身 之 道

许多海洋动物因身体跟其生存环境极为相似而不易被发现。这种现象叫做伪装。伪装有助于动物藏身避难，同时，也有助于捕食者偷袭猎物。

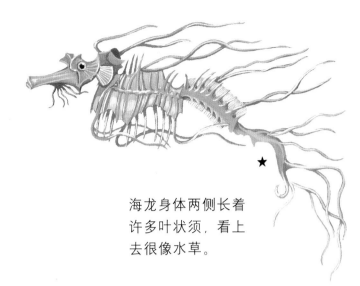

海龙身体两侧长着许多叶状须，看上去很像水草。

须鲨的身体呈扁平状，卧在海底。一旦有鱼从跟前游过，它就一跃而起吃掉猎物。

比目鱼的伪装

一些比目鱼利用海底作伪装。它们卧在沙里一动不动，以免被天敌发现。

你能看出这幅画里藏着的鱼吗？

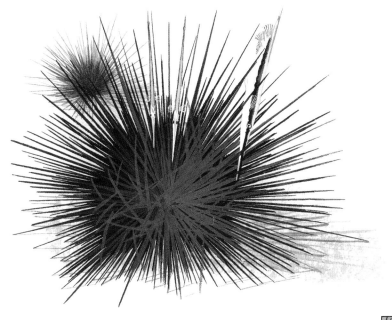

保护鳍

玻甲鱼头朝下直立藏身于海胆的鳍棘中。它们背鳍上的条纹看上去跟海胆的鳍棘一样。这可以使它们躲避捕食者的袭击。

你能看见藏在这只海胆里的玻甲鱼吗？

变花纹

乌贼在海底捕食，鱼、蟹都是它们的猎物。它们用长腕突然袭击猎物。经过不同的区域时，乌贼身上的花纹可以随着环境而变化。

这只比目鱼趴在沙上，把身体变成沙的颜色以伪装自己。

在石头上爬行时，比目鱼身上的花色随之发生变化。

凶猛的鮟鱇鱼

马尾藻鮟鱇鱼生活在有马尾海藻的区域。它们身体的颜色看上去和马尾藻的颜色毫无两样。它们躲在海藻中，静候送上门来的猎物。

马尾藻鮟鱇鱼可以用掌状的前鳍把住马尾藻。

75

珊 瑚 礁

珊瑚虫生活在温暖的浅海水域。它们的模样像植物，而实际上它们由成千上万的微小动物堆积而成。大面积的珊瑚称作珊瑚礁。

相关信息网址：
www.usborne-quicklinks.com
Seasky Web site
从这个网站可以看到各种类型的珊瑚。

神仙鱼生活在珊瑚群中。它们身上那明快斑斓的色彩使其跟周围的环境融为一体。

珊瑚虫

珊瑚虫的外壳坚硬。它们死后，骨骼仍在。新的珊瑚虫就在这些死去的骨骼上繁衍，一段时间之后珊瑚虫的骨骼就堆积成了珊瑚礁。

珊瑚虫的侧面图

捕食用的有毒触须

嘴

胃

石座

★

在这个珊瑚礁里藏着4条鱼和1条鳗鱼。你能找出它们吗？

海扇

海绵

海胆

蛇尾

脑状珊瑚

珊瑚礁区的生活

珊瑚礁上到处都是孔隙，动物可以藏匿其中，也可以寄居其中。也就是说珊瑚礁一带有许多海洋生物。

一顿珊瑚美餐

尽管坚硬的外壳可以很好地保护珊瑚虫，但是有一些鱼，如鹦鹉鱼，仍然能够吃掉珊瑚虫。

鹦鹉鱼的牙齿很集中，呈钩状。

鹦鹉鱼能咬下一块珊瑚，然后用它那钩状齿将珊瑚嚼碎。

巨型蛤

羽毛星

海银莲

珊瑚礁一带的动物

　　四分之一多的海洋生物生活在珊瑚礁一带。这一带的海洋动物大小不一，形状各异，鱼的品种两千有余。

章鱼遇攻击时便会在水中喷墨，以便浑水逃生。

小丑鳞鲀吃珊瑚上的寄生虫。

巨石斑鱼是珊瑚礁区域内体形最大的食肉动物。它们的身长能达到一辆小轿车的长度。

相关信息网址：
www.usborne-quicklinks.com
Seasky Web site

神仙鱼吃的是珊瑚礁上的海绵。

海马生活在珊瑚丛中。它们靠摆动背上的鳍游动。

珊瑚礁作屏障

生活在珊瑚礁里可以防御像鲨鱼这类凶猛的捕食者的袭击。珊瑚礁里面的动物需要以各种方式来保护自己。一些动物身上的图案很可怕,另一些动物则有绝招。

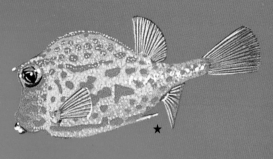

箱鲀身上覆盖着一层有恶臭味的粘液,这臭味箱鲀免遭捕食者的侵袭。

鲀受到侵扰时就会鼓起身体吓跑捕食者。

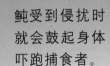

捕食者会以为这条蝴蝶鱼背上的两个圆点是一条大鱼的眼睛。

结群避险

一些鱼结群而游,数目很多,这叫做鱼群。鱼群可以迷惑捕食者,使其感到无从下口。捕食者也许会把整个鱼群当作比自己还要大的动物。

这些新月尾大眼鱼不仅结群而游,而且挨得很紧。

共 生

一些海洋动物需要依赖其他动物才能得以生存。这种现象叫做共生。通常共生对共同生活的双方都有好处，但有时共生只使其中一方获益。

印鱼体形又细又长。这种鱼经常黏附在比自己大的动物身上。图中两条印鱼黏附在绿龟身上。它们专门享用大动物的残羹剩饭。

寄居

潜鱼居住在其他动物体内以寻求保护。有时它们会从内部咬噬共生对方的肉。

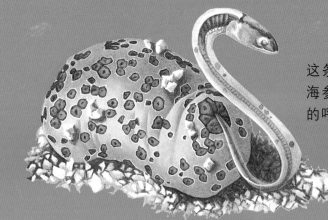

这条潜鱼寄居在一只海参体内。它从海参的呼吸口进进出出。

不怕毒棘

海银莲的捕食对象是小鱼。它们的刺状触须能杀死送上门来的鱼。小丑鱼则能安然无恙地寄居在这些毒触须中，避开天敌的攻击，因为天敌一旦接近它们就会碰到毒棘。

小丑鱼身上有一层粘液。这粘液使它们免遭海银莲的伤害。

哨兵——虾虎鱼

一些虾类几乎没有视觉，它们跟一种叫做虾虎鱼的动物共生互惠。虾打洞建穴，虾、鱼共享安乐窝。而虾虎鱼则负责守门放哨。

虾用它那强壮的附肢打洞，建造一个与其他动物共生同居的洞穴。

在洞穴外的时候，虾的一只附肢搭在虾虎鱼的尾部，接收虾虎鱼发来的信号。

虾虎鱼感觉到了危险，就会摇摆尾巴，于是，鱼、虾都会迅速躲藏到洞里去。

清洁卫生

在珊瑚礁一带生活着一种名为清洁工的鱼类。它们游在大鱼身边，清除大鱼身上的腐肉、污物。有时大鱼，如这些石斑鱼，会排着队等候清洁工前来清除身上的污物。清洁工扭动着身子让对方认清自己，以免成为对方的腹中之物。

有时，大鱼允许清洁工在自己的嘴里清除牙齿或鳃中的污物。

水下牙医

体型弯曲的珊瑚虾用长而尖利的附肢清理其他海洋动物的皮肤和牙齿。它们在其他动物身上找碎屑吃。大动物知道珊瑚虾在做好事，所以不会吃掉它们。

这只曲体珊瑚虾正在海鳗的牙齿中剔取食物。

有毒的动物

有些世界上毒性最大的动物生活在海里。它们用毒素来捕食，或者以毒素护身，对付天敌。

这些动物体内含有致命的毒素，可致人于死地。

银鲛 ★

箱水母 ★

葡萄牙军舰水母
或称僧帽水母 ★

石鱼 ★

芋螺 ★

蓑鲉全身都长满了毒棘。

致命的小动物

蓝圈章鱼剧毒可致命。被它咬伤的动物中毒后窒息而亡。这种章鱼甚至可以毒死人。

蓝圈章鱼的原型就这样大。它身上的蓝色圆圈可以警告捕食者：此鱼有毒。 ★

盗毒者

海蛞蝓不怕水母的毒素。它们吃小水母，把水母的毒素聚集在体内，然后用所吸收的毒素对付袭击者。

这只海蛞蝓正要吃一只银币水母。

银币水母全身长满了刺状触须。

海蛇

海蛇专吃鱼类。它们咬住猎物后便使用锋利的空心牙向受害者体内注射致命的毒液，使之丧命。

海蛇靠摆动整个身子游水。

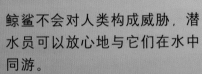

鲨 鱼

世界各海洋区域都分布着鲨鱼。鲨鱼有300多个种类。多数鲨鱼是凶猛的掠食者。它们有锋利的牙齿可以捕杀其他动物。

相关信息网址：
www.usborne-quicklinks.com
Enchanted Learning Web site

鲸鲨不会对人类构成威胁，潜水员可以放心地与它们在水中同游。

鲨鱼吃人吗？

大白鲨喜欢从下方偷袭猎物，而且为了节省体力，它们喜欢一口咬死猎物。有时大白鲨也袭击游泳的人，但是科学家认为这只是因为它们把人误认为其他的海洋动物。

大白鲨

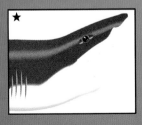

大白鲨借助牙齿咬住猎物。它们的嘴能张得非常大。

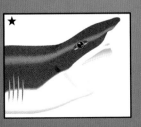

大白鲨张开嘴时，牙呈外倾状。这种牙型咬住猎物的面积更大。

鲸鲨是世界上最大的鱼，它们的身长能达12米。

双髻鲨的头为扁长状，眼睛长在头部的两侧。游动时，它可以环视四周。

鲨鱼靠摆动尾部游水。

神奇的鱼鳍

鲨鱼像海豚和鲸鱼一样有时候贴近海水表层游动。这时候，它们的背鳍就会露出水面。下面的3幅图中，哪一幅是鲨鱼的背鳍？（答案见图下方）

数百颗牙齿

多数鲨鱼至少有3排牙齿。前牙脱落后，后排牙齿就会前移取而代之。

A

B

C

C 海豚的鱼鳍

B 鲸鱼的鱼鳍

A 鲨鱼的鱼鳍

沙虎鲨鱼的牙齿向后倾斜，猎物是无法"虎"口逃生的。

魟 鱼

魟鱼有几百个不同品种。所有魟鱼的身子都是扁的。一些魟鱼是无害的，但刺魟的尾巴会释放毒素，而电魟则会放电。只有在受到攻击的时候，它们才会施毒或放电以保护自己。

这些庞大的曼塔魟结群而游。

此图显示刺魟那带有毒刺的尾部。

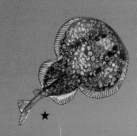

电魟头部两边的器官能够释放强电流。

吃食

魟的嘴多数长在身体底部。它们贴着海底游水、觅食。它们可以咬碎贝壳，而后吃掉贝肉。

这幅图显示了魟身体的底部构造。魟嘴的位置对它在海底觅食极为有利。

嘴

腮

相关信息网址：
www.usborne-quicklinks.com
Enchanted Learning Web site

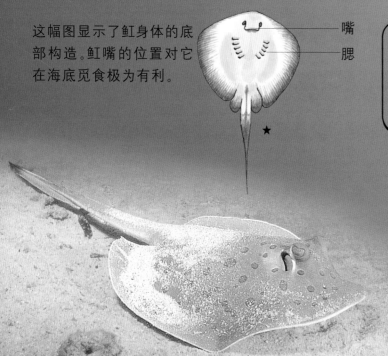

刺魟靠上下扇动尾巴游水。

曼塔魟

在魟的种类中体型最大的是曼塔魟。它们身体的宽度能长到6米（20英尺），但是没有危险性。它们张着嘴游水，游速缓慢，边游边吃食。它们的食物有浮游生物和水中其他的微小动物。

这两个鳍状物叫作头鳍，用来把食物推进口中。

潜水员有时候跟魟同游。有关潜水的知识见112页。

曼塔魟靠扇动宽大的鳍翼游水。

鲸

鲸是世上最大的动物，看上去像鱼。而实际上它们是哺乳动物。哺乳动物是热血动物。这就是说无论周围环境的温度是高还是低，它们的体温保持不变。

蓝鲸是地球上体重最重的动物。一条发育成熟的蓝鲸体重相当于20头大象。

座头鲸

胆鼻鲸

蓝鲸

露背鲸

马英克鲸

形态各异的喷潮

哺乳动物在水下无法呼吸，所以鲸不得不浮到海洋面上呼吸。它们通过头顶部被称作呼吸孔的洞呼吸。向外排气时，呼吸孔就会喷出水花，这叫做喷潮。

不同的鲸鱼喷出的水柱样子不同。通过观察鲸鱼的喷潮，可以识别鲸鱼的种类。

在鲸鱼中，胆鼻鲸潜水的深度最深。它们换气的间隔时间长达1个多小时。它们能潜入海洋深处捕食鱿鱼。

相关信息网址：
www.usborne-quicklinks.com
Whale Acoustics Project Web site

精力充沛的鲸鱼

鲸鱼体型庞大，但却非常好动。大鲸鱼，如座头鲸，常常跃出水面。这叫做纵跳。它们为什么要这么做，谁也说不清楚。

鲸鱼跃出水面也许是为了甩掉粘在身上的藤壶。

鲸鱼潜水的时候，经常头朝下，尾部直立于空中。这叫做倒立。这样做能使它们深深地潜入海底。

海豚

海豚是哺乳动物，世界各大洋都有它们的行踪。它们往往结群生活，是海洋中的高智商动物。

一群海豚叫做海豚群，有的海豚群数目高达一百多只。

相关信息网址：
www.usborne-quicklinks.com
Ocean Link Web site

学呼吸

海豚需要呼吸，所以小海豚一降生，海豚妈妈就会迅速把它托出水面，教它呼吸，否则，它就会溺水而死。有时另一只海豚会前来相助。

这只海豚刚刚生下小海豚。现在小海豚必须学会呼吸。

海豚妈妈游到孩子的身下，轻轻地把它托出水面。

小海豚做了第一次呼吸。以后它就会自己呼吸了。

海豚的游速为每小时
40公里。

嬉戏

　　海豚是游泳能手，同时，也是惊人的杂技演员。它们的游速对捕食很有利。此外，它们还很喜欢玩耍，表演。它们能跳出海面。

旋转海豚能跃出海面3米之高，并且能在空中转动身子，1次能转7圈之多。

这些宽吻海豚正在跳跃环顾四周。这叫做侦察跳跃。

利用回音

　　海豚在海里通过发声和回音来探路。根据回音它们可以判断出周围有些什么，这叫做声纳。海豚也用自身的声纳系统来捕食。

海豚发出的"答、答"的响声在水中能传得很远。

当声音碰到鱼时，就会作为回声反弹回来。

海豚可以根据回声返回时间的长短判断出鱼的位置。

海底深处

海底深处一片黑暗。在这个黑暗的世界里居住着一些世界上最奇怪的动物。深海处没有植物，所有的鱼都是食肉动物。

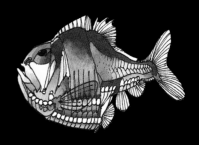

斧头鱼的眼睛长在头顶上，所以它们可以看到从头顶上游过的鱼。

相关信息网址：
www.usborne-quicklinks.com
Seasky Web site

囊咽鳗的嘴巨大无比，能吞噬体型比自己大的鱼。

吸血枪乌贼

吸血枪乌贼生活在900米深的海底。它们有一对大眼睛，能看清幽暗的海底。

吸血枪乌贼非常善于避开捕食者的攻击。它们的触须下方长满了利刺，其他动物无法下口。

吸血枪乌贼把头藏到翻起来的触须里就可以避开捕食者的袭击。

它们的触须就像带刺的护身盾牌。

黑暗中的亮光

大洋深处漆黑一片，有些鱼只得自己发光照明。这海底之光也会吸引其他的海洋动物，因此，一些鱼利用光来诱捕猎物。

灯笼鱼的身体可以发亮，以此迷惑捕食者。

蛭鱼沿体侧都有光亮点。

闪光鱼的眼睛下方可发出忽闪忽闪的光，因为闪光鱼可以控制光的明暗度。

海百合的样子像植物，但它们不是植物，而是属于海星类动物。

斧头鱼

垂钓鱼的嘴部上方悬挂着一盏灯。

鱼儿受光的吸引，就游进垂钓鱼的口中。

洄 游

有些海洋动物为了觅食或产卵要游到很远的海域去，这种现象叫做洄游。

鲸的洄游

有些鲸在夏天要迁徙到寒冷的海洋区域，因为那些海域里磷虾很多。磷虾是鲸鱼吃的一种浮游动物。冬天鲸鱼就回到温暖的海域生宝宝。

座头鲸

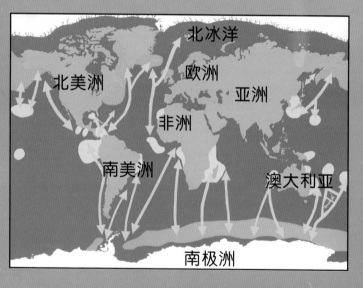

北冰洋
欧洲
北美洲
亚洲
非洲
南美洲
澳大利亚
南极洲

座头鲸也做迁徙。一些座头鲸每年要游 16000 多公里。

这张地图上的箭头标示了座头鲸每年的洄游路线。

 夏天　　 冬天

上下迁徙

有的海洋动物每日往返游移。桡足类海洋生物是一种浮游生物。它们白天生活在深海区，夜晚游到海面上觅食。

这只桡足比实际的大。实际上桡足极其微小，肉眼几乎看不见。

海龟的洄游

雌海龟要产卵时就会回到它降生的沙滩上。

雌海龟用前肢在沙滩上挖个坑，在沙坑中产卵，随之用沙把卵覆盖上。

7~10周后小海龟破壳而出，然后朝大海爬去。

数年后，雌海龟发育成熟就回到同一个沙滩上产卵。

鳗鲡的归宿之行

淡水鳗鲡到快产卵的时候才会离开江河。离开江河后，它们就朝着大西洋中部的马尾藻海游去，在那里产卵、寿终。

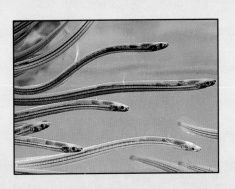

幼鳗叫做小鳗鲡，能游回母亲生活过的江河。这个历程可长达3年之久。

相关信息网址：
www.usborne-quicklinks.com
ABC Web site

鲑的旅行

鲑生活在海洋里，但是它们总是要回到它们出生的那条河里产卵。

鲑须逆流而上，跳越瀑布才能回到出生地。

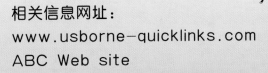

冰 洋

北冰洋和南极海永远是冰冷的。这两个地方的海水一年大部分时间里都结冰，但冰下的海水里仍充满了生命。

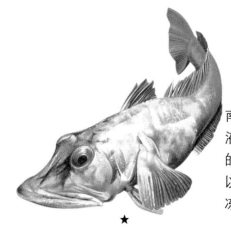

南极冰鱼的血液里含有特殊的液体，它可以防止血液被冻住。

★

冰带来的问题

威德尔海豹在冰下觅食，但要到水面上呼吸。

这只威德尔海豹在冰上钻了一个呼吸孔。

它要常常用利齿来啃凿冰层以防呼吸孔被冰封死。

海象

海象是两栖哺乳动物。它们皮下那层厚厚的脂肪可为它们御寒保暖。

这两个大牙叫做象牙。

海象在海中觅食，以生活在海床上蛤蜊为食。

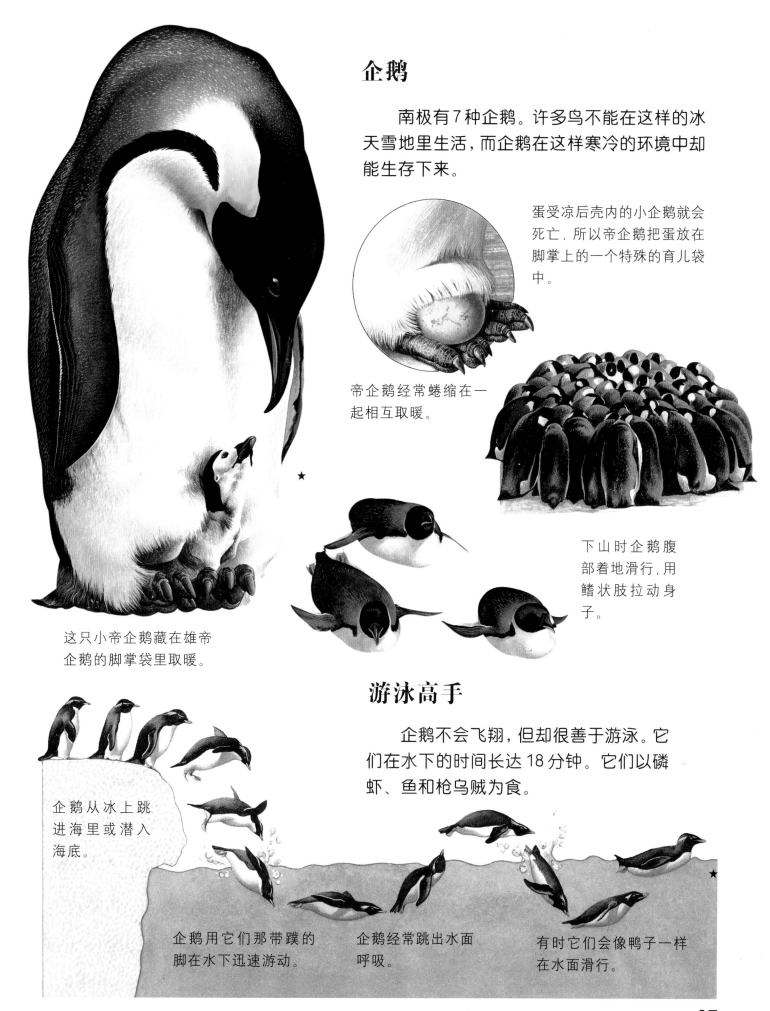

企鹅

南极有7种企鹅。许多鸟不能在这样的冰天雪地里生活，而企鹅在这样寒冷的环境中却能生存下来。

蛋受凉后壳内的小企鹅就会死亡，所以帝企鹅把蛋放在脚掌上的一个特殊的育儿袋中。

帝企鹅经常蜷缩在一起相互取暖。

这只小帝企鹅藏在雄帝企鹅的脚掌袋里取暖。

下山时企鹅腹部着地滑行，用鳍状肢拉动身子。

游泳高手

企鹅不会飞翔，但却很善于游泳。它们在水下的时间长达18分钟。它们以磷虾、鱼和枪乌贼为食。

企鹅从冰上跳进海里或潜入海底。

企鹅用它们那带蹼的脚在水下迅速游动。

企鹅经常跳出水面呼吸。

有时它们会像鸭子一样在水面滑行。

海浪

波浪是由风掀起来的。有时海浪从很远的大洋面上滚滚而来，最后撞击到海岸上。

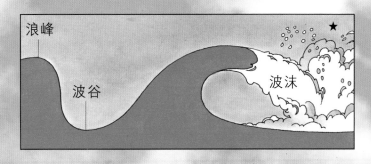

这幅图显示了浪的组成部分。

浪的形成

风吹过海面就会掀起层层涟漪。只要风不停地刮着，涟漪就会越来越大，最后形成翻滚的波浪。

风从波浪的表面吹过可促成波沫，还可推波助澜。

激浪

海的深度影响波浪的形状，所以波浪向海岸涌去时形状会发生变化。

相关信息网址：
www.usborne-quicklinks.com
Enchanted Learning Web site

海水沿海床上行。

波浪越是接近陆地，海水就越浅。波浪底部沿海床上行，流速有所减缓。

激浪翻滚。

波浪表层的海水比底层的流速快，因此浪的上部翻腾而起，随之落下。

水下能量

浪是一种在水中运动的能量。浪在水中运动，但水实际上仍停留在原处。

你看着波浪，仿佛是水在流动，其实，水并没有流动。

浪从一个物体下面经过时，如一只海鸥，它只是托起了这个物体。

浪过去后这只海鸥仍在原地。

巨浪

浪的大小取决于风的强弱以及浪的跨度。海上有暴风雨时，劲风掀起凶猛的巨浪。这样的巨浪足以打沉海上的船只。

有些地方浪高可达12米多，比两层楼还高。

洋 流

洋流如同大江、河流在大洋中涌动。不同的洋流速度不同。有些洋流一天只流动10公里,而另一些洋流的流速可达到每日160公里。

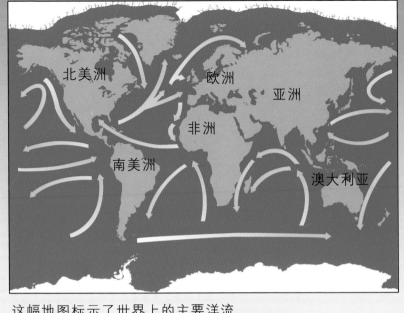

北美洲　欧洲　亚洲　非洲　南美洲　澳大利亚

这幅地图标示了世界上的主要洋流。

 暖流　　　　 寒流

种子的海上旅行

有时,植物的种子会被洋流带到遥远的地方去。异地扎根的植物可能远离母株。

相关信息网址:
www.usborne-quicklinks.com
Ocean Currents Web site

植物的种子,如这个椰果,掉进海里,随波漂流而去。

有时,这样的种子要漂到很远的地方才会靠近岸边。

波浪把种子推上岸,这样它就有可能在那里扎根、生长。

潮 汐

海水的高度叫做海平面。大多数的海域，随着潮涨潮落，海平面时时刻刻都在不断地变化着。这种运动叫做潮汐。

有时,迅速上涨的潮水把人们困在海滩上。

潮汐线

潮水冲向沙滩，把海水中的杂物抛到海滩上，潮汐退去后，岸上留下了一条长长的杂物痕迹,这就叫做潮汐线。

海鸥在这条潮汐线上觅食。

潮水退去后,常常会在海滩上留下许多海草。

墨鱼的骨头叫做墨鱼骨,经常被潮汐冲上海岸。

这是角鲨的卵袋,叫作美人鱼的钱包。

海 岸

海岸是连接海洋边缘的陆地。由于波浪和风力的侵蚀，海岸的形状总是不断地发生着变化。

海浪把鹅卵石和石头冲到岸上。海浪不断冲刷石头，天长日久岸上的石头变得越来越小，越来越光滑。

远离海水的沙滩上的石头比较大。

离海近的地方都是小石头和沙子。

海滩的形成

海滩在海岸平坦的低地形成。经海浪的冲刷，巨石和悬崖都被磨成了小石头和鹅卵石，最后它们变成了沙子。

海浪把成万上亿个小石头磨成了沙子。

变化中的海岸

岸边的一些岩石比别的岩石硬。这种硬岩石磨损的速度比较慢，这样就形成了海角。

海角

拱形石门坍塌后就形成了小石岛。

海浪冲击较软的山崖上的石头，在大石头上冲出一个洞。

大石头被海浪穿透后出现了一个拱形门。

筛选石头

离海水最近的石头总是最小的，这是波浪冲击的结果。浪拍击海滩时，把石头按大小进行了分类。这一过程如图所示：

 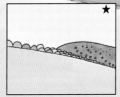 

浪涛冲击海岸时带上来了小石头。

海水退去时又带走了小小的鹅卵石。

比较大的石头和鹅卵石都被留在了海岸上。

103

海岸边的生物

海边有许许多多有趣的现象。每天落潮后，总会在石头群中留下一洼洼的积水。在这些积水坑里生长着植物，还生活着动物。

五须鳕用嘴边的触须探路。
虾很注意保持水的清洁，它们找到什么就吃什么。
这种小鱼身子扁平，滑溜，它们可以钻进石缝里避开捕食者。
鳚鱼的前鳍很大，它们在小水洼里靠前鳍迅速改变方向。
海草沿海岸生长。
蟹
蚌

外壳

螃蟹没有贝壳，但有一层较硬的外壳。蟹长大外壳就会脱落，新皮逐渐变硬，这层皮慢慢地又形成了一个更大的外壳。

头朝下

藤壶都贴在海边的礁石上。它们吃食时腿就会伸出壳顶。

小藤壶一片片地贴在礁石上。坚硬的外壳可以让它们躲避危险。

藤壶吃食的时候要打开壳顶上的小洞，伸出腿抓水中的食物吃。

特殊的气泡使这些水草漂浮在水面上。只有在水面上才能接触到光线。

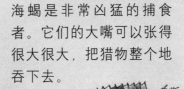

海蝎是非常凶猛的捕食者。它们的大嘴可以张得很大很大，把猎物整个地吞下去。

相关信息网址：
www.usborne-quicklinks.com
Barncles web page

海星有5条臂腕。失去一条臂腕，在原处又会长出一条新臂腕。

寄居蟹

海胆的壳上长着尖刺，它们具有保护作用。

海柠檬用舌头在礁石上舔食食物。

草莓银莲

帽贝

藤壶

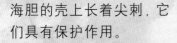

大油螺

105

危险的大海

大海上的天气变化多端。海面上，随时会出现暴风雨、狂风巨浪，暴雨巨浪非常危险。

飓风

飓风是在温暖的海面上形成的来势凶猛的暴风雨。一些飓风气势很大，在太空都可以看得见。飓风发生时，乌云密布、暴雨倾盆、大浪滔天、风速每小时达480公里，非常可怕。

水柱冲天而起，直指云霄。

这是一幅从太空拍照的飓风照片。中间那个点叫做飓风眼。飓风眼非常平静。

水柱

有时，暴风雨把海水从大洋面上吸起来，水在空中形成一个巨大的旋转体，这就叫做水柱。水柱经过洋面时会卷走途中的一切东西。

有时，水柱把鱼和其他动物从海里吸起。随着水柱落下，被吸起的东西又会落回到海里。

海 啸

地震使地面震动。当地震发生在海底时，海床震动，有时可掀起凶猛的大浪。这种海浪叫做海啸。

海底发生地震时，一部分海床升高或下陷。

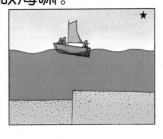

海床的震动引起海水的波动，海啸的波浪不高，但能扩散到很远的海面上。

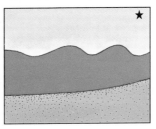

波浪从震源开始迅速地向四面八方扩散。

当海啸波浪接近海岸时，波浪受到海岸挤压便形成滔天巨浪。

波浪的破坏性

深海海啸没有危险性。它们都是小振荡波，振荡波从船下经过时，没人会知道海底发生了地震。只有在浅水海域，海啸波才会变成巨浪，巨浪撞击海岸，所有东西都会受到破坏。

相关信息网址：
www.usborne-quicklinks.com
Hurricane Harry's Web site

★ 有记载的最大的海啸高达34米，比10层大楼还要高。

木船和轮船

几千年以前人类发明了木船。有了船，人们就可以运输，可以勘探周围的世界。

烟囱

游轮就像是水上旅馆。有的游轮上还有游泳池和网球场。

这是救生船，在危急关头使用。

船的后部叫做船尾。

螺旋桨推动船行进。

引擎为螺旋桨提供动力。

相关信息网址：
www.usborne-quicklinks.com
Thinkquest Adventures at Sea Web site

最古老的木舟

最古老的木舟很小很小。人们把大树干凿空做成小船。后来，人们做的木船越来越大，建造的轮船也越来越大。

最古老的木舟是用挖空心的树干做成的。船体很重，很不方便。

后来，人们用树枝、木条做船，在船体外裹上动物皮。这种船比较轻快。

第一艘大船是用桨滑动的船，叫做划船。这是一艘希腊划船。

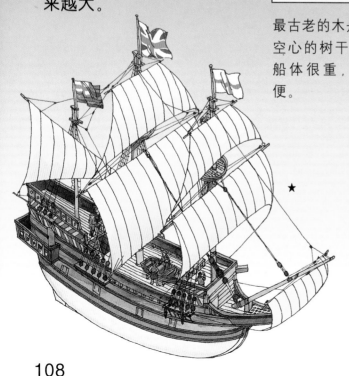

风力

帆船用帆布而不用木桨。风鼓起帆布，推动船只前进。没有风力，船就无法前进。

这种船叫做西班牙大帆船。它建于400年以前。

雷达天线用于通讯，也用于探测其他海上船只。

船的前方部位叫做船首。

剧院

船底叫做龙骨。龙骨可以使船在水上平稳滑行。

船的主体部分叫做船体。

今天的船

今天的船比过去的船大得多。它们用于运输，如运载油料和食物，航行于世界各地。游客在大游轮上（如上图所示）非常舒适。有时，人们也乘小快艇旅行。

油轮是运载原油的轮船，船体长度可以达到一公里多。有的油轮非常大，人们在船上要骑自行车，以车代步。

气垫船速度很快。船底的大气垫使它能够飞驰于海面。

海底勘探

　　海底世界又黑又冷，这给海底勘探工作带来了很大的困难。科学家们有时乘坐小型潜水艇潜入海底进行勘探工作。下面是一幅名为深海飞机的潜水艇照片。

这是深海飞机潜水艇。

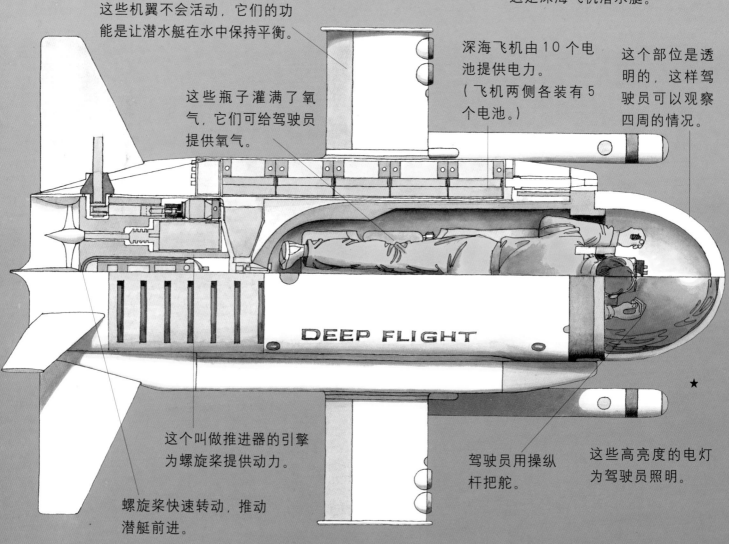

这些机翼不会活动，它们的功能是让潜水艇在水中保持平衡。

这些瓶子灌满了氧气，它们可给驾驶员提供氧气。

深海飞机由10个电池提供电力。（飞机两侧各装有5个电池。）

这个部位是透明的，这样驾驶员可以观察四周的情况。

DEEP FLIGHT

这个叫做推进器的引擎为螺旋桨提供动力。

螺旋桨快速转动，推动潜艇前进。

驾驶员用操纵杆把舵。

这些高亮度的电灯为驾驶员照明。

特殊摄像机

　　胆鼻鲸潜水深度很深。科学家在它们身上安装上一种特殊的摄像机，这样就可以拍摄深海动物的照片。

这种摄像机又轻又小，不会伤害安上摄像机的动物。

摄像机

这个吸盘可以吸在鲨鱼的皮上。

海洋的奥秘

海洋奥秘无穷，人类尚未彻底了解海洋，科学家们一直在研究神奇的海洋生物，不断有新的发现。

巨型枪乌贼可以长得非常大，但是，没有人见过活的巨型枪乌贼。我们所见到的都是被潮水推到岸上来的死巨型枪乌贼。

腔棘鱼

绝种了？

科学家认为腔棘鱼在80万年前就绝种了。然而，1938年一个捕鱼人在南非的东伦敦港湾捕捉到一条腔棘鱼。从此后，人们又发现了许多腔棘鱼。

巨颌鲨

巨颌鲨

1976科学家在夏威夷附近的海域又发现了一种鲨鱼。这种鲨鱼的嘴很大，于是科学家把它们叫做巨颌鲨。

海蛇

据报道以前水手在海上看见过巨型蛇。他们看到的可能是皇带鱼。皇带鱼能长到7米多长。目前，科学家对这种鱼的习性等几乎是一无所知，因为它们大多数时间都在深海生活。

皇带鱼

沉 船

船沉入海底叫做船难或称沉船。一些遇难的船只有几百年的历史。这是一艘西班牙大帆船，它400多年前遇难沉入海底。

潜水员在探查遇难船只。

氧气瓶

带上面罩可以看清水下世界。

鸭脚板的作用是加快游速。

这个潜水员在画一艘遇难的船只。他用的是防水纸和能在水下工作的笔。

探查遇难船只

潜水员经常探查遇难的船只。他们身后背着充满氧气的瓶子，通过一根管子进行呼吸。这样他们就可以在水底下呆很长时间。

海底动物，比如这只海鳗，都躲藏在遇难的船体里。

潜水员用特殊的充气气球打捞遇难船只上的物品。

这些潜水员在一艘西班牙的帆船上发现了一尊大炮。他们正在往海面上运送这尊大炮。

日久天长,遇难的船体上就会长出珊瑚和植物。在这种情况下,人们不容易发现遇难的沉船。

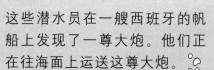

一些运载珠宝的船沉没后,船上的许多珠宝都下落不明。

手工艺品

人工制做的工艺品叫做手工艺品。在沉船上发现的手工艺品可以帮助我们了解古代人的生活。

这些坛子是在一艘土耳其的沉船上发现的。这艘船是在1000多年前遇难的。

这些金条是在遇难的西班牙帆船——桑塔·玛格利特号上发现的。

这个盘子是从沉没的"泰坦尼克号"上发现的。泰坦尼克号1912年与冰山相撞遇难沉没。

海洋的利用

海洋用途很广，对我们人类具有十分重要的意义。我们的生存离不开海洋。海洋为我们提供了食物和能量。它还为我们提供了矿物和药品。

这些印度渔民在撒网捕鱼。

大网

渔民用的渔网大小不一。一些渔网捕鱼量不大，如上图中的渔网，而渔轮上使用的大网一次则能捕上千条鱼。这种网一般长达两公里。

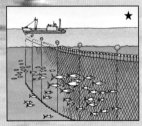

漂网的浮子漂在水面上。这种网用于拦截过往鱼群。

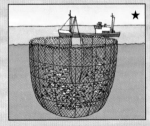

兜状拉网像个大口袋，它们用于捕捉鲱和其他离海面近的鱼。

拖网沿海床拖动。它们用于捕捉类似鲽这种生活在海底的鱼。

图书在版编目(CIP)数据

英国初级百科全书. 太空、海洋/英国USBORNE出版公司编；
张德玉、徐莉娜译. —青岛：青岛出版社，2003
ISBN 7-5436-2827-9

Ⅰ.英... Ⅱ.①英...②张...③徐... Ⅲ.①自然科学—普及读物
②宇宙—普及读物③海洋—普及读物Ⅳ.N49

中国版本图书馆CIP数据核字（2003）第003525号

书　　名　英国初级百科全书——太空·海洋
译　者　张德玉　徐莉娜
出版发行　青岛出版社
社　　址　青岛市徐州路77号（266071）
邮购电话　（0532）5814750 5814611-8662 5840228
责任编辑　曹永毅
印　　刷　青岛海尔丰彩印刷有限公司、胶南市印刷厂
出版日期　2003年1月第1版，2003年1月第1次印刷
开　　本　16开
印　　张　8
插　　页　2
字　　数　160千
ISBN　7-5436-2827-9
定　　价　42.00元
（青岛版图书售出后发现缺页、散页、错页、倒装、字迹模糊等，请寄回承印厂调换）